COLLECTION FONDÉE EN 1984
PAR ALAIN HORIC
ET GASTON MIRON

TYPO EST DIRIGÉE PAR
JEAN-FRANÇOIS NADEAU

AVEC LA COLLABORATION DE
PIERRE GRAVELINE
ET JEAN ROYER

D0810071

TYPO bénéficie du soutien du ministère du Patrimoine du Canada et de la Société de développement des entreprises culturelles pour son programme d'édition.

Nous remercions le Conseil des Arts du Canada de l'aide accordée à notre programme de publication.

NOUVELLES DE MONTRÉAL

NOUVELLES DE MONTRÉAL

Collectif sous la direction de Micheline La France

Emmanuel Aquin • Noël Audet • Robert Baillie
Louise Blouin • Denise Boucher • André Brochu
Gaétan Brulotte • Hugues Corriveau • Jean-François
Chassay • Francine D'Amour • Jean-Paul Daoust
Claire Dé • Louise Desjardins • Danielle Fournier
Daniel Gagnon • Lise Gauvin • Nicole Houde
Claude Jasmin • Naïm Kattan • Monique LaRue
Louise Maheux-Forcier • André Major
Madeleine Monette • Madeleine Ouellette-Michalska
François Piazza • Hélène Rioux • Danielle Roger
Lori Saint-Martin • France Théoret • Louise Warren

TYPO

Éditions TYPO
Une division du groupe Ville-Marie Littérature
1010, rue de La Gauchetière Est
Montréal, Québec H2L 2N5
Tél.: (514) 523-1182
Téléc.: (514) 282-7530
Courrier électronique: vml@sogides.com

Maquette de la couverture: Nancy Desrosiers
Photographie de la couverture: Josée Lambert

DISTRIBUTEURS EXCLUSIFS:

• Pour le Canada et les États-Unis:
LES MESSAGERIES ADP*
955, rue Amherst
Montréal, Québec
H2L 3K4
Tél.: (514) 523-1182
Téléc.: (514) 939-0406
* Filiale de Sogides ltée

• Pour la Belgique et le Luxembourg:
PRESSES DE BELGIQUE S.A.
Boulevard de l'Europe 117
B-1301 Wavre
Tél.: (010) 42-03-20
Téléc.: (010) 41-20-24

• Pour la Suisse:
TRANSAT S.A.
Route des Jeunes, 4 Ter
C.P. 125
1211 Genève 26
Tél.: (41-22) 342-77-40
Téléc.: (41-22) 343-46-46

• Pour la France:
D.E.Q.
30, rue Gay Lussac
75005 Paris
Tél.: 01 43 54 49 02
Téléc.: 01 43 54 39 15
Courrier électronique: liquebec@imaginet.fr

Dépôt légal: 3e trimestre 1992
Bibliothèque nationale du Québec
Bibliothèque nationale du Canada

© 1992 Éditions TYPO
Tous droits réservés pour tous pays
ISBN 2-89295-079-1

Préface

Une de mes premières lectures, au seuil de l'adolescence (époque pas si lointaine où notre jeune littérature était exclusivement perçue comme une cousine pauvre, et, forcément envieuse, de la grande littérature française) fut une nouvelle, l'éponyme du recueil Le torrent *d'Anne Hébert.*

«J'étais un enfant dépossédé du monde. [...] Ce démon captif, en pleine puissance, m'éblouissait. Je lui devais en hommage et en justice aussi de lui permettre d'être soi dans le monde. À quel mal voulais-je rendre la liberté? [...] J'ouvre les yeux sur un matin lumineux. Je suis face à face avec le matin. De quel gouffre suis-je le naufragé?» Puis, finalement: «Je veux me perdre en mon aventure, ma seule et épouvantable richesse.»

Ce texte court (à peine soixante pages) m'introduisait au projet littéraire d'Anne Hébert, celui de sa poésie tout autant que de sa prose. La concision et la densité, qualités sine qua non *de la nouvelle, me rendaient l'œuvre accessible, pour ainsi dire palpable et me mettaient en appétit. Je voudrais désormais goûter tous les textes d'Anne Hébert et ma curiosité me porterait à vouloir découvrir, en dépit des lancinantes litanies de mes professeurs ès lettres, ce que la littérature d'ici produirait.*

Récemment, encore par le biais d'une nouvelle, je rencontrais un auteur majeur de la littérature universelle, un Américain exilé à Londres à la fin du siècle dernier, auteur qui avait jusqu'ici échappé à ma curiosité, l'époque, la langue, sans doute aussi certains préjugés chers à ma génération me l'ayant tenu lointain. Je viens de lire — plutôt de dévorer — une nouvelle de quatre-vingts pages de Henry James intitulée L'auteur de Beltraffio.

> *Il y avait même quelque chose d'émouvant, d'inquiétant dans sa beauté, qui paraissait formée d'éléments trop purs et trop délicats pour affronter les souffles de ce monde. [...] J'éprouvai soudain pour lui la même pitié que s'il était orphelin, ou un enfant substitué par les fées à celui qu'elles ont volé, ou comme s'il était marqué du sceau d'un destin singulier. [...] Je découvris qu'il était trop exquis pour vivre. [...] Quant à moi, je ne doutais pas qu'il fut évanescent, ayant déjà remarqué qu'un certain charme est comme le signe d'un arrêt de mort.*

Mon appétit est à l'aigu; je sais désormais que Henry James me poursuivra de ses romans, de ses nouvelles, de ses souvenirs et de ses essais pendant de longs mois, de longues années à venir.

Lire une nouvelle, c'est ni plus ni moins accepter une poignée de main. Personne ne nous y force, mais en touchant la main tendue, la nôtre découvre beaucoup de l'interlocuteur et nous renseigne sur la possibilité d'engager ou de refuser un lien éventuel. Toute la personnalité de l'écrivain tient dans l'humble format de la nouvelle, aussi bien que dans un seul poème. Son style, son souffle, son point de vue, son propos, quand la magie opère et que le texte est bon, tout ce qui caractérise la manière d'un écrivain sera reconnaissable dans une seule de ses nouvelles.

Le genre, longtemps boudé par les éditeurs d'ici, connaît un heureux essor depuis le milieu des années quatre-vingt. Devant l'énergie des auteurs de nouvelles, les lieux d'édition se sont assouplis. Nous en avons pour preuves: à Québec, la fondation du prix Adrienne-Choquette et de la maison d'édition L'Instant même, et, à Montréal, la création du Concours de la nouvelle de Radio-Canada, la naissance de la revue et de la maison d'édition XYZ, de la revue Stop, *ainsi que l'inauguration de la Fête de la nouvelle, au bar La Bibliothèque, rue Saint-Denis. La plupart des éditeurs accueillent maintenant des recueils de nouvelles, les revues de création littéraire en publient régulièrement et certains quotidiens en commandent occasionnellement aux uns et aux autres (quelquefois même à des écrivains...!) pour les jouer à la une, histoire de ne pas se faire oublier pendant les vacances d'été.*

Dans un marché restreint comme le nôtre, il importe que les écrivains élargissent leur lectorat et trouvent, outre-frontière, un écho pertinent à leur travail. La nouvelle, légère *comme le poème, voyage bien. Il n'est plus rare maintenant de voir des romanciers côtoyer des poètes autour des tables de divers colloques internationaux, de même qu'on peut les entendre lire leurs textes courts, lors de différentes fêtes littéraires.*

En juin 1987, de passage à Paris, je me rendais à la bibliothèque des Services culturels québécois pour y déposer un exemplaire du Fils d'Ariane, *récemment paru.*

Madame Ursula Matlag, la bibliothécaire, me dit en palpant l'ouvrage: «Ah! mais, je connais déjà votre livre, madame La France! La semaine dernière, une de vos nouvelles a été lue par une de nos comédiennes lors d'un récital, place Saint-Sulpice. Je m'en souviens très bien, d'ailleurs. Votre histoire se passe au cours de la nuit des étoiles filantes.»

En mars 1990, à l'occasion du lancement, à Paris, d'un numéro de la revue Europe *qui traite de la littérature nouvelle du Québec, à Paris, on m'invita à lire des textes en prose en compagnie de deux poètes qui représentaient des voix actuelles de la poésie. L'invitation me surprenait. Elle surprit sans doute aussi le public qui réagit à la lecture avec une chaleur que je n'aurais pas imaginée en sol français. Une semaine plus tard, rendant visite à un ami poète, près du Luxembourg, celui-ci me dit: «Je viens de t'entendre lire une nouvelle à la radio, sur France-Culture. C'est rafraîchissant d'entendre une histoire québécoise, dans le ton québécois, à la radio française. Ça me donne envie d'aller goûter ta langue sur place, dans les rues et le métro de Montréal.»*

On n'insistera jamais assez sur la nécessité des contacts entre les diverses littératures, francophones d'abord, bien entendu, mais également allophones, pour la croissance et la santé de notre littérature nationale. L'essor actuel de la nouvelle fait la preuve qu'aucun genre n'est petit *en soi, qu'il prend la taille exacte des écrivains qui s'y adonnent. Un bon recueil de nouvelles vaut exactement un bon roman, tous les éditeurs littéraires l'admettent. Un bon recueil de nouvelles trouve autant de lecteurs qu'un bon roman, ni plus, ni moins. Il trouve les lecteurs de l'écrivain qui le signe. À ce propos, la nouvelle a permis à des écrivains d'émerger et d'exister sur la place publique, quand le roman les avait jusque-là tenus à l'écart; je pense à Gaétan Brulotte, André Carpentier, Anne Dandurand, Claire Dé, Diane-Monique Daviau, Monique Proulx, et Marie José Thériault, pour n'en nommer que quelques-uns, qui ont participé à un grand nombre d'ouvrages collectifs et qui font exister annuellement la Fête de la nouvelle, jetant un éclairage nouveau sur le genre, pratiqué tout de même depuis fort longtemps sans avoir acquis seul ses lettres de noblesse.*

Un autre aspect fort intéressant de la lecture et de la pratique de la nouvelle m'amène à penser qu'elle permet à la littérature de se démarquer du seul modèle européen (français et anglo-saxon) et de percevoir sa parenté avec les littératures américaines de langue latine, tout d'abord (Haïti, la Martinique, Cuba, le Mexique, l'Argentine, le Brésil, le Chili, etc.) et, bien entendu, de langue anglaise (Canada et États-Unis). Ainsi, des racines culturelles multiples se dégagent, au lieu d'une monoparentalité étriquée qui n'a jamais convenu qu'à une poignée d'observateurs à courte vue. Notre littérature est latine par la langue et le caractère; elle est anglo-saxonne par une certaine manière de vivre la liberté et le fair-play; *elle est sud-américaine par le besoin de défier la raison, de bousculer les formes et les normes reçues pour laisser jouer le baroque, le foisonnement, le rire et les paradoxes. Nous risquons d'amères déceptions si nous tentons encore de déchiffrer la littérature d'ici derrière les lunettes à double foyer du cartésianisme et du puritanisme européens. En fait, il faut la lire sans lunette, telle qu'elle se présente: jeune, vigoureuse, libre et saine. (Elle n'a pas eu le temps de contracter tous les virus et les névroses du XIXe siècle français, anglais et allemand.) Si elle reconnaît volontiers ses multiples cousinages, elle ne s'en affranchit pas moins pour affirmer sa propre identité.*

❑

À la fin d'un désagréable été du siècle dernier, entre deux fugues, un poète adolescent donnait, dans une lettre à son professeur de rhéto, un point de vue décisif sur son lieu de naissance: «Ma ville natale est supérieurement idiote entre les petites villes de province. Sur cela, voyez-vous, je n'ai plus d'illusions.»*

La plupart des écrivains de Montréal vivent une relation d'amour-haine avec leur ville. Quand ils n'y sont pas nés et y vivent, quand ils y vivent le moins possible et ne peuvent s'empêcher de parler d'elle dans leurs livres, quand ils la poursuivent ou la fuient, toujours, ils ont l'impression que c'est la ville elle-même qui s'est imposée à eux.

Dans une interview qu'il m'accordait pour le Magazine littéraire, *en 1987, Yves Beauchemin disait: «Montréal, avec ses décombres, ses terrains vagues, ses océans d'asphalte, est la ville que j'aime le plus au monde. C'est ici que transparaît de la façon la plus claire, choquante et dramatique notre situation américaine.»*

L'année suivante, Gilles Archambault donnait le coup d'envoi au Montréal des écrivains** *par ces mots: «Je ne puis m'absenter longtemps de Montréal sans ressentir au fond de moi une angoisse certaine.» Cet écrivain n'est pas précisément le plus naïf que je connaisse et les*

---

* *Lettres de la vie littéraire d'A. Rimbaud,* réunies et annotées par Jean-Marie Carré, Gallimard, «*L'imaginaire*», 1990.

** *Montréal des écrivains*, dirigé par Louise Dupré, Bruno Roy et France Théoret, Typo, l'Hexagone et Union des écrivains québécois, 1988.

questions qu'il pose sur la nature de cette angoisse certaine m'entraînent avec lui dans la perplexité. Il dit encore: «Le pacte que nous avons signé, Montréal et moi, interdit les interrogations trop poussées. On ne peut convaincre personne de toute manière. Puisque je suis né dans cette ville et que j'y mourrai très probablement, je l'accepte en bloc.»

Le texte sensible et lucide de Gilles Archambault m'animait encore, quand a surgi le projet de cet ouvrage collectif qui aurait pour titre: Nouvelles de Montréal. *Le* Montréal* *caustique de François Hébert, aussi. La prose somptueuse de Jacques Brault dans sa préface au* Montréal Blues** *d'Alain Gerber, également. L'avalanche de témoignages qui déferle en littérature à l'occasion du trois cent cinquantième anniversaire de la fondation de la ville m'aurait normalement incitée au silence. Par respect, par habitude et par paresse. Mais il m'a plutôt semblé que tout n'avait pas encore été dit sur la question ou, du moins, de la manière* particulière *dont j'aime assez que les choses soient dites.*

Il s'agissait en fait de déjouer un sortilège. Montréal est un monstre plutôt gentil, on en convient, mais un monstre tout de même; alors, comment parler du monstre dans son dos, sans qu'il le sache, ou du moins, assez bas pour ne pas l'éveiller et risquer les foudres de son rire? Peut-être en racontant simplement les histoires qui pourraient s'y passer, en imaginant des personnages forcés d'y vivre ou ravis de le faire, le temps de quelques pages, en disant peu, presque rien, du lieu qui les inspire, mais en créant des événements qui n'auraient pu se vivre

---

* François Hébert, *Montréal,* Champ Vallon, 1989.

** Alain Gerber, *Montréal Blues,* Lacombe/Table rase, 1992.

ailleurs que là, précisément, dans le cœur, le ventre, ou même à la surface, oui, dans un ou deux replis, peut-être, de la peau de la bête. Oui, la fiction dirait plus, sinon mieux, en tout cas autrement, sur le temps qu'il fait encore à Montréal.

Sur invitation, des auteurs ayant déjà publié des nouvelles ont présenté à un comité de lecture formé de Suzanne Robert, de Roch Poisson et de moi-même une histoire brève sur fond de décor montréalais. Voici donc trente Nouvelles de Montréal, *autant de styles et de points de vue actuels sur la métropole, proposés par des écrivains nés ou vivant à Montréal. Plutôt que de présenter les textes dans l'ordre alphabétique de leurs auteurs, comme on le fait normalement dans un recueil de textes courts, j'ai préféré les rassembler selon les thématiques qui s'en dégageaient, parentes ou opposées. Ainsi, nous glissons d'une histoire dans une autre, toujours différente, éclairée ou reflétée par la précédente ou la suivante. L'ensemble forme un kaléidoscope amusant, ne livrant jamais tout, mais rappelant sans cesse Montréal, toile de fond nécessaire aux destins qui vont vivre sous nos yeux.*

Micheline La France

HUGUES CORRIVEAU

La ville tout entière

On aurait dit des mousses de laine ou de poussière. Elles étaient brassées dans l'air, tournaient en tous sens. Lui, il fermait la bouche de peur d'en avaler. C'était comme ça chaque année au moment où les pissenlits lâchaient ainsi dans l'espace de la ville leurs flocons transparents, leurs si fragiles boules de neige végétale. Le nez lui coulait, mais le spectacle était si beau! Sur la rue Amherst, près des enseignes laides et de la pauvreté, juste à la hauteur des vitrines sales, il sentait que la ville l'envahissait, le contenait dans ses mouvements. L'audace du vent relevant l'air frais l'enivrait un peu. Montréal se tassait sur elle-même dans le mouvement désordonné des pollens, des effluves. Il tremblait un peu, les jambes lui faisaient mal. Il y a loin du quartier Côte-des-Neiges jusqu'au Vieux-Montréal. Mais le cœur y était encore, la souffrance suspendait le souffle, courait en lui comme un fluide. Malgré la déplaisante impression de gouffre qui l'étouffait à chaque fois qu'il descendait de la montagne jusqu'au port, il était entraîné par un espoir très vif, très précis. Mais il lui semblait que l'air n'avait plus la même qualité, qu'il allait souffrir du symptôme des profondeurs, si fréquent en plongée. Ici, l'audace de Montréal tenait dans la diversité de ses formes. Les villes en lui se multipliaient, tournaient. Où étaient les arbres d'Outremont, où étaient les pelouses de la rue Du Parc, vers où s'abîmait cette rue au bout de laquelle se dressait l'horloge du quai, au loin, comme un phare immobile dans la cité? Il descendait dans cet accablement que crée parfois la présence trop prégnante de la laideur. Certaines villes ont ainsi des haut-le-cœur selon leurs quartiers. Ici, la touffeur imprégnait les lieux de son odeur rance. Montréal palpitait au rythme des klaxons, des vitrines, de sa marche, de son violent émoi.

En chemin, il s'était arrêté au café Cherrier, question de déguster une bière, de prendre un peu de temps avant que son désir ne soit comblé. Il n'y avait vu personne qu'il connaissait, et cette étonnante solitude qui l'avait protégé d'une certaine angoisse latente l'avait fortifié. Il n'avait pas pleuré, pas ri non plus. Il n'avait rien fait que boire, que regarder les journaux du jour étalés sur le comptoir sans vouloir aucunement connaître les nouvelles du monde. Il avait longuement détaillé les carreaux rectangulaires du plancher, longtemps suivi les méandres gris du marbre de sa table, avait joué avec la salière, fait tourner le cendrier entre ses doigts des dizaines, des centaines de fois peut-être et, surtout, il avait levé les yeux pardessus les barres de laiton qui traversaient les vitrines. Il s'étonnait de la circulation sur Saint-Denis, du passage jaune des autobus scolaires, d'une ambulance parfois folle dans le trafic. Au fond, cela ne lui cachait pas son appréhension ni son envie. Il allait devoir repartir, se rendre sur cette place ancienne qu'il n'abordait jamais qu'à partir de l'est, par la rue Notre-Dame. Toujours, il tournait le dos au pont Jacques-Cartier, question de ne pas voir le ciel brisé en deux, la fente métallique dans le bleu, au-dessus de Montréal. Il voulait arriver au plus vite, encore bouleversé par la hideur près de l'autoroute Ville-Marie. La ville se lézardait de façon dramatique. Il ne parvenait à destination qu'après ce long effort pour franchir les viaducs bétonnés.

Depuis quelques semaines, il s'y était rendu une bonne dizaine de fois. Question de varier la perception, de jauger l'histoire du monde selon les heures du jour, sa lumière, sa couverture. Dans le creux de sa main, il essayait chaque fois de retenir un peu de sa sueur, pour en goûter le salé. Il marchait de plus en plus rapidement vers la rue Notre-Dame, là où il allait pouvoir regarder à son aise l'apparition frileuse du château Ramezay.

C'est lui qu'il vient voir, c'est ici qu'il se rend si souvent. Rien ne lui paraît plus beau que cette maison, la sienne, son unique tension. Chaque fois qu'il l'aperçoit, une rumeur de vert et de pierre, d'insolites éclats de verre s'illuminent. Son œil prend le château, l'accapare, l'engouffre. Il sait que son histoire lui appartient intimement, que cette tranquillité solide remet en cause l'indifférence du monde, son ignominie. Le monument lui semble résumer à lui seul la précarité de l'histoire, son ironique survie.

Des enfants bleus et roses, des écoliers égarés, quelques femmes en manteaux fripés vert et ocre s'attardent sur les trottoirs. Des attachés-cases vacillent à bout de bras, des bottes de caoutchouc, des jambes galbées, des pantalons de laine, tout un mouvement de pieds, de courses, de sauts, cette effervescence urbaine provoquent une diversion temporaire dans son esprit. Il se laisse porter par cette rumeur. Il sait maintenant que ce qui lui appartient en propre est à portée de main.

Prendre un autre café dans un des bars de la place Jacques-Cartier, se pénétrer de sa propre histoire. Et il se retourne, il entend le cocher crier, les chevaux hennir. Le maître revient sans doute d'une lointaine inspection de son moulin à scie de Baie-Saint-Paul. Claude de Ramezay fait toujours beaucoup de bruit à chacun de ses passages. Surtout pour ne pas laisser les autres indifférents, pour leur imposer plutôt son autorité, sa juste fonction. Depuis quelque temps, il ne voit plus guère Pierre Couturier ; en fait, depuis que la grande maison est achevée. L'architecte et maître-maçon est trop occupé à d'autres constructions. Mais ce qu'on appelle déjà, en 1704, le «château» fait belle figure rue Notre-Dame. La famille nombreuse qui va compter jusqu'à seize naissances trouve tout le terrain voulu pour ses jeux entre cette si belle rue et le fleuve. Bien au chaud dans le souffle du bar, il sent l'odeur saline des bateaux accostés au port et, dans l'air, se déplacent des récits de voyage, de longues navigations.

Installé à sa table, il voit le mur ouest du château et se perd dans son rêve ancien, dans ce brouhaha de carrosses et de marchands. Le temps est bon dans sa tête. Il reconnaît ce mur haut avec ses deux cheminées, ses sept fenêtres dissymétriques, son revêtement de crépi foncé. Le temps tourne sur lui-même dans des fracas de canons, dans la fragile paix actuelle. On est loin de 1689 où les Anglais du sud en voulaient au territoire de Nouvelle France, où les Indiens harcelaient encore les colons dans les campagnes. Le gouverneur de Montréal veille, passe en carrosse, rentre chez lui.

Par la grande fenêtre ouverte sur la place défigurée, il souffre de ne plus reconnaître le château de Ramezay, insistant toujours sur le «de» disparu. Il en a fait son bien, son obsession. Quand il descend de la montagne, quand ses cours d'histoire ou de lettres à l'Université de Montréal lui laissent un peu de répit, il vient ici, place Jacques-Cartier, pour rêver à son *château,* à sa propre histoire. Il est tour à tour Claude de Ramezay lui-même rêvant à sa Marie-Charlotte Denys de la Ronde qu'il vient d'épouser, il est parfois membre de la Compagnie des Indes, gouverneur du Canada, membre de la Cour de justice de 1889, travailleur au ministère d'Instruction publique, professeur à l'École normale ou à l'Université Laval de Montréal en 1885, ou encore numismate et membre de la Société d'archéologie, ou tout cela à la fois, tous ces temps et métiers confondus, pourvu qu'il ait été résident de *son* château, de *sa* maison de pierres. C'est une passion exclusive, envahissante.

Depuis quelques semaines, il vient rôder autour des murs, de jour comme de nuit. Il aime voir se détacher la petite tourelle de l'angle nord-est, au coin des rues Saint-Claude et Notre-Dame, quand, à trois heures, les rumeurs de la ville sont plus feutrées, quand, sous le fond noir des nuages, une rumeur d'orage gronde dans les profondeurs. Il a mal aussi quand le soleil levant le dépouille de la nuit, quand tout à coup son château est livré de nouveau à la vie. Car il voit alors les parkings étagés qui se resserrent tout autour, ce béton qui a gangrené le paysage et sa noblesse. Ce n'est plus ainsi qu'une vague maison de pierres entourée d'une clôture de fer, vaguement fragile, fichée dans du ciment rongé. La demeure elle-même, du côté de la rue Saint-Claude, est sillonnée de lézardes. Il cherche en vain les canons disparus. Rien n'a plus de sens. Ces dernières semaines l'ont mis à la torture; il a mal de voir que tout cela se désagrège. Il y a du péril ici. La place Jacques-Cartier, les rues Le Royer ou de la Commune sont méconnaissables. Il a beau regarder par-dessus l'entassement des voitures, le si beau dôme du marché Bonsecours, rien ne ressemble plus à rien.

Mais le mal le plus aigu le transperce quand il voit les autobus bondés de touristes qui viennent envahir les pièces du château. La salle de Nantes sera encore profanée, la reproduction de la «roue à chien», dans la cuisine, va encore susciter des oh! et des ah!, le chérubin de pin va continuer malgré tout sa supplique figée, et ce sacrilège le tue. Combien sont-ils à venir troubler les mânes, à bouleverser sa vie? Désespérément, il essaie de faire disparaître les bruits, les rires, le tumulte moderne qui enlève tout sens à sa passion.

Aujourd'hui, le temps est propice. Il fait frais et sec. Il pense qu'il neige déjà un peu sur la Nouvelle-France encore ensommeillée. Il n'est pas allé à ses cours. Il a passé la nuit à surveiller les murs, à parler aux pierres lisses, à tourner lentement autour, dans un sens puis dans l'autre. Passant par la rue Saint-Claude, il s'est glissé de nombreuses fois le long du mur sud jusqu'au petit escalier qui descend en direction de la rue Saint-Paul et, là, passant devant l'Hôtel Rasco, il est remonté par la Place, jusqu'au château, encore et encore, tout en regardant l'écrasante masse de l'Hôtel de Ville.

Ce n'est que tard dans la nuit qu'il a placé les bidons d'essence à l'arrière de l'édifice, cachés sous des feuilles mortes et des numéros de *La Minerve*. Tantôt, juste au moment où le froid va éclater vif dans la lumière nouvelle du soleil, il ira mettre le feu au Régime français, à la Conquête, aux gouverneurs anglais et à la justice et au savoir universitaire et à ce qui s'est entassé là de médailles et de fureur. Cela va brûler d'un seul coup, faire des cendres de mémoire. Il n'en peut plus. Son exigeante passion l'empêche de plus en plus de dormir, tellement on ne cesse de saccager l'histoire, sa maison, sa tourelle et ses murs, sa propriété de folie. Cela va flamber. Seul en lui, Claude de Ramezay va garder ses racines et son nom.

Quand les premières flammes ont léché les fenêtres, quand, du toit, les cris des pompiers s'entendaient encore dans les alarmes successives, quand la neige imaginaire et légère s'est mise à blanchir le paysage en désordre, il a regagné tranquillement le premier café, s'est attablé, a regardé intensément le désastre et sa propre délivrance. Montréal ne serait plus jamais la même sans son petit château, sans sa petite histoire de monnaies, de médailles, de honte et de grandeur. Plus de touristes pour souiller les dalles du parquet, jamais plus de commentaires sur les rangées d'esses en fer des murs, rien, jamais plus cette comédie. Déjà, la destruction est complète. Il ne voit plus que les pans sinistres et vides des pierres noircies.

Il savoure la paix qui le gagne, le sommeil qui déjà le réclame. Il veut croire que l'objet consumé, il pourra rattraper l'histoire, trouver beaux les parkings et le délabrement. Il voudrait enfin se retrouver dans l'heure exacte d'une passion nouvelle, dans la fureur bouleversée du siècle actuel, parmi ces matériaux froids et exaltants de la ville moderne, envahie par les gratte-ciel, étourdissante d'agitation. Il voudrait ne plus penser au gouverneur de Montréal et à son prestige.

Mais juste à sa droite, un homme indifférent à ce qui se passe autour de lui lit. Il tient un livre à la main, il murmure, hausse parfois le ton, prononce certains mots qui sortent de sa bouche comme par enchantement. C'est à ce moment précis qu'il a entendu la phrase, que tout s'est écroulé. L'homme récitait distinctement, avec cette sorte de jouissance que seuls des textes aimés laissent dans la bouche, les si célèbres vers de Nelligan:

> Je suis si gai, si gai, dans mon rire sonore,
> Oh! si gai, que j'ai peur d'éclater en sanglots!

Et voilà que la vanité de son geste lui apparaît. Pendant que le château Ramezay brûle devant lui, la poésie s'impose. Il est emporté par le triomphe éphémère du poète qui, un soir, après sa lecture de la *Romance du vin,* fut transporté à bout de bras du château qui se consume actuellement jusque sur les hauteurs de la rue Saint-Denis. L'impérissable souvenir est en train de faire une autre marque indélébile dans son cerveau. C'est tout naturellement qu'il se lève, qu'il n'a plus d'intérêt pour ce qui reste des cendres aux alentours. Cette fois, il gagne la rue Berri pour traverser les voies rapides et, lentement, il remonte jusqu'à la rue Sherbrooke. Encore quelques rues et il atteindra le carré Saint-Louis où il sait qu'il va trouver cette autre maison qui, dorénavant, l'occupera tout entier, jusqu'à ce qu'il voie enfin Nelligan sortir de chez lui. Il se met déjà à rêver aux après-midi de piano, aux sœurs du poète, à sa mère et au chœur mystique des anges qui enveloppe toute chose, jusqu'à sa disparition.

JEAN-FRANÇOIS CHASSAY

La mort de Gary Sheppard

Pour Frédérique, cette première trace textuelle

Les choses n'allaient pas vraiment bien. La montre du tableau de bord indiquait déjà vingt et une heures trente. La densité de la circulation ne diminuait pas et il venait à peine de dépasser le boulevard Saint-Laurent où quelques adolescents lui avaient fait des signes obscènes en passant devant sa voiture. Maître de lui, il avait soigneusement évité de les écraser, tout en espérant qu'un autre s'en chargerait à sa place. «Il faut se décontracter, se dé-con-trac-ter», répétait-il en s'objectivant, cherchant à chasser de son esprit le verbe «fulminer» qui tâchait de prendre toute la place. Dans «fulminer» on trouve aussi «miner» et ainsi se sentait-il: de plus en plus miné par toute la bêtise du monde et l'ennui évanescent de ce qui l'entourait. Décidément, la vie ne pouvait jamais être simple.

La rue Sherbrooke paraissait plus longue que jamais. Il habitait près du Stade olympique, symbole d'excellence des Montréalais. Le mot «excellence» prenait, depuis quelques années, des allures de dogme. «Excellence» devenait le mot clé prononcé par tous les individus paternalistes et imbéciles de la ville qui le confondaient avec le mot «suffisance». Le Stade olympique correspondait effectivement au modèle même de l'excellence montréalaise. On ne pouvait rêver plus suffisant et plus imbécile. Et plus cher. Mais c'était aussi un des maîtres mots de l'excellence. On ne sortait pas du cercle étouffant de ce langage tautologique.

Il détestait le Stade olympique, son quartier, cette rue Sherbrooke qui n'en finissait plus et, pour dire les choses franchement: toute cette ville le faisait vomir. Pourtant, il y vivait depuis toujours et savait qu'il ne pourrait pas vivre ailleurs. Il ne comprenait pas pourquoi. Il n'avait jamais compris pourquoi. À trente-huit ans, la variété des défauts qu'il attribuait à cette ville se révélait hallucinante. Il affirmait souvent devant des Montréalais horrifiés (car, disait-il, le Montréalais ne *peut* supporter qu'on critique la moindre chose de sa ville; ça lui donne de l'urticaire), que Montréal, effectivement, méritait le titre de grande ville, car d'une petite ville on dit souvent qu'il s'agit d'un trou, alors que cette île infecte d'où on ne voyait jamais l'eau se composait d'une multitude de trous: la chaussée, tous ses terrains désaffectés, sans compter l'imagination de ses édiles, cet immense vacuum. La seule chose comble, c'était le compte de taxes. Ah! Ah! Il ne leur envoyait pas dire, à tous ces Montréalais naïfs pour qui cette ville représentait le summum de la civilisation. Et cette colline, cette butte, ce coteau maigrelet qu'on qualifiait pompeusement de montagne! Qu'est-ce qu'il ne fallait pas entendre…

Il arrivait au coin de Saint-Denis où il avait gaspillé, une vingtaine d'années plus tôt, beaucoup d'argent et de temps à discuter autour d'une montagne (une vraie!) de bouteilles de bière, avec quelques individus de son acabit, de la vacuité de l'existence et de la nécessité absolue de se suicider avant d'atteindre son trentième anniversaire. Un de ceux-là y avait cru mordicus et s'était ouvert les veines, peut-être tout étonné encore aujourd'hui, quinze ans après sa mort et six pieds sous terre, que les autres se soient abstenus. Des «autres», il ne restait que lui à Montréal (sans tenir compte du mort, bien sûr). Le seul à ne pas être allé voir si la vraie vie se trouvait bel et bien ailleurs. Maintenant, il ne daignait même plus porter un regard nostalgique vers le bas de la rue et ses bars lorsqu'il passait à proximité.

Plusieurs automobilistes autour de lui oubliaient l'existence du clignotant. En option, comme on disait. Lui, qui conduisait beaucoup, ne connaissait qu'à Montréal cette angoissante sensation: on pouvait concevoir chaque voiture comme un ennemi potentiel. Les klaxons hennissaient avec un ensemble touchant. Il mit la radio.

Déjà neuf heures quarante-cinq. Plus que quinze minutes avant le début de *Thirtysomething,* la seule émission qu'il écoutait avec assiduité à la télé. La seule qui ne l'ennuyait pas, à laquelle il *croyait.* Pourtant, c'était une émission qui s'intéressait à des choses simples, normales: la vie, la mort, le sexe. Mais voilà, elles apparaissaient, justement, normales. Ni édulcorées, ni camouflées, ni imbécilement romancées. Comme elles se *devaient* d'être, comme elles ne *pouvaient* qu'être.

À la radio, on rappelait le sujet d'une émission d'affaires publiques (il disait souvent «guimauve publique»), qui se déroulerait le lendemain. On s'attarderait notamment à un phénomène encore relativement récent: ces gens qui photographiaient (et parfois filmaient) la naissance de leur enfant. Il trouvait la chose intéressante parce que cela lui apparaissait comme la dernière forme d'authentique obscénité dans nos sociétés occidentales. Il n'attendait plus que la suite logique de cet engouement: le moment où on en viendrait à filmer le dernier râle des agonisants. «Allez tonton, plus fort, c'est pour la postérité.» Il riait, seul derrière son volant.

Au coin de Montcalm, près de la Bibliothèque municipale dont l'indigence et le manque d'espace ne parvenaient plus à faire rire qui que ce soit (y compris lui), il préféra mettre une cassette. Un pot-pourri de Miles Davis qu'il avait jadis aimé, puis détesté, puis admiré. Maintenant, il ne savait plus ce qu'il pensait de ce musicien exceptionnel, mais dès qu'il entendait certaines pièces de Davis, que *personne d'autre* n'aurait pu enregistrer, il se disait qu'il y avait encore moyen d'espérer en l'humanité. «So What» et «Tutu» lui permettaient d'échapper à la chanson québécoise et il trouvait cela extraordinaire, il y voyait un soulagement indescriptible, car «Je voudrais voir la mer» de Michel Rivard lui donnait envie d'aller habiter le Sahara et Richard Desjardins faisait surgir dans son esprit le souvenir immémorial du plus lointain ancêtre de l'homme de Néanderthal (plus jeune, il avait songé devenir paléontologue).

Arrêté au coin de Papineau à neuf heures cinquante-quatre, il *savait* qu'il manquerait le début de l'émission. Il détestait manquer le début. La musique, le générique: le rituel lui échapperait et la chose lui déplaisait souverainement. Une raison de plus pour devenir colérique et tout mettre encore une fois sur le dos de cette ville abjecte. Une grande ville, maugréait-il, une grande ville... comme s'il suffisait de le répéter à satiété pour que ce soit vrai. Peut-on commander un plateau de sushis par téléphone et se le faire livrer chez soi, à deux heures du matin? Non. Ce n'était définitivement pas une grande ville.

La circulation ne diminuait pas après Papineau, au contraire. Il n'y comprenait rien: elle semblait même s'amplifier, comme si tous les automobilistes de Montréal s'étaient concertés pour l'empêcher de voir cette émission, *son* émission. Il se mit à appuyer sur son klaxon, prouvant ainsi qu'il pouvait se révéler aussi primate que n'importe quel autre conducteur. Comme toujours, dans les périodes de grandes tensions, son mal de dos revenait, lancinant, enflant comme une passion qui refuse de s'éteindre, protubérance de sentiments stupides et sans joie. Son mal de dos ressemblait à un amour fou, quelque chose qui ne disparaît malheureusement pas avec quelques comprimés d'aspirine. Enfermé dans sa voiture comme dans un cercueil, comme dans un sarcophage (il voyait à l'horizon les deux pyramides olympiques), il avait le regard lugubre, pointé vers le seul avenir qui l'intéressait: aboutir, enfin, à son appartement, bien s'installer devant le poste de télé (mais comment avait-il pu oublier le magnétoscope?) et écouter, nonobstant l'absence du générique (raté), son émission préférée. La ville en décida autrement.

On ne peut pas toujours déterminer précisément les responsabilités de chacun et de chacune lorsque ces choses se produisent. Son impatience nous incite immédiatement à le croire responsable, et pourtant rien n'est moins sûr. Quoi qu'il en soit, l'événement se produisit au coin de Sherbrooke et Pie-IX, en une fraction de seconde (en tout cas, très rapidement; on risque toujours de laisser son imagination empiéter sur la réalité en de pareilles circonstances).

Je ne connais rien aux voitures, ce qui fait qu'il m'est impossible de préciser, de manière très technique, le déroulement de l'accident, en disant par exemple: la Rolls Royce a dérapé sur la chaussée et a embouti, selon un angle de quarante-cinq degrés l'aile arrière de la Lincoln continental, etc. Il s'agissait de deux voitures assez minables de toute façon, sans rien d'impressionnant. On a rapporté que l'autre individu, celui qui roulait sur Pie-IX, aurait accéléré alors que le feu de circulation était jaune depuis déjà trop longtemps.

Descendant Pie-IX à vive allure, il entra de plein fouet dans la portière avant du côté du chauffeur, encastrant celui-ci dans son volant. Peut-être entendit-il un son, eut-il le temps de remarquer que la configuration de la réalité changeait légèrement. On peut être assuré cependant, sans avoir aucun doute sur la question, qu'il ne connut pas la souffrance. La mort fut radicale, instantanée.

Il n'eut pas le temps de regretter *Thirtysomething,* la seule émission de télé qu'il écoutait. Comble de hasard (ou de chance), il ne sut jamais que ce soir de février 1991, dans l'épisode qu'il manqua, Gary Sheppard, celui qu'il préférait parmi tous les personnages de cette série, disparaissait lui aussi, tué dans un accident de voiture.

FRANCINE D'AMOUR

Montreale

> Voilà une des principales raisons *of my happiness* en Italie, c'est l'absence de l'empoisonnement par l'ignoble. Qu'il existe ou non, je ne l'aperçois pas. En France, et surtout à Cularo (lisez Grenoble), il m'oppresse[1].
>
> STENDHAL

C'est en descendant le *Vittolone,* l'allée de cyprès qui mène à la Place de l'Île, que Charlotte s'est enfin rendue à l'évidence. Comment était-elle parvenue à la nier jusque-là? Était-ce la grossièreté des remarques de ces compatriotes croisés tout à l'heure dans le Jardin du Chevalier («C'tu assez beau à ton goût!» — «Ouin! Ça m'fa penser à Montréal vue d'la montagne!»), d'où l'on découvre la ville tout entière baignant dans la lumière ambrée qui émane des collines du val d'Arno, ou la galanterie de ce *cicerone* lui cédant sa place sur un banc de la Cour de Bacchus, où se rassemblent les touristes avant d'entreprendre la visite guidée des jardins Boboli *(«Prego,*

1. Lisez: «Au Québec, et surtout à Montréal, il...»

signorina! Ella piace Firenze? Ciao!»), ou encore la découverte de cette breloque dorée représentant le stade olympique — joyau de l'architecture montréalaise —, et faisant tache dans le décor de fresques et de sculptures ornant la grotte de Buontalenti?

Charlotte a bien été forcée d'admettre l'imminence de son retour à Montréal. N'a-t-elle pas retrouvé ce matin même son billet d'avion dans l'une des pochettes de la valise, où elle croyait, à tort, avoir rangé son carnet d'adresses? Renonçant sur-le-champ à ses projets épistolaires, elle a remis le billet maudit dans la pochette et abandonné la recherche du carnet disparu. Ses amis montréalais auront bien assez tôt de ses nouvelles...

Porca miseria! Dans moins de quarante-huit heures, elle aura quitté Florence — la Divine! — et troqué le lys rouge contre le blanc. L'avion d'Air Canada s'élèvera au-dessus des campaniles et palais florentins, une «agent-e de bord» jargonnante offrira aux passagers une énième tasse de café «canadien», l'aéroport de Mirabel surgira comme une oasis désenchantée du désert brunâtre qui l'entoure, et les orangers en fleurs des jardins Boboli ne seront plus qu'un souvenir suave qu'emporteront les effluves du dégel montréalais.

S'arrachant à sa rêverie maussade, Charlotte poursuit sa promenade solitaire. Elle pénètre dans l'amphithéâtre. Du haut des gradins, elle observe la foule des touristes se pressant autour des guides. Elle reconnaît presque aussitôt le «sien» — le galant *cicerone* de la Cour de Bacchus —, qui entraîne son groupe de géants scandinaves vers la baignoire de granit provenant des Thermes de Caracalla. Il ressemble à un gnome gesticulant au centre de l'arène. S'éloignant de la baignoire, il embrasse du regard le cirque des gradins. À en juger par l'espèce de sourire de connivence qu'il lui adresse, lui aussi l'a reconnue.

La visite se termine, mais le *cicerone* s'attarde dans l'amphithéâtre. Il discute avec un autre guide. Charlotte pressent qu'il montera la rejoindre dès qu'il en aura terminé avec son interlocuteur. De temps à autre, il jette un coup d'œil appréciateur sur ses jambes, qui reposent sur un gradin de l'étage inférieur. Un peu gênée, mais surtout flattée, Charlotte se redresse. Elle réprime un soupir.

Voilà l'une des principales raisons de sa tristesse à la pensée de quitter cette ville enchanteresse: les Florentins *regardent* les femmes. En plus d'être galants, ils ont de l'esprit et savent se montrer entreprenants, ce qui contraste agréablement avec les manières frustres ou embarrassées des Montréalais.

Certes, «comparaison n'est pas raison», mais Charlotte n'en est pas moins amenée à se souvenir de Pierre-Marc, cet éphémère compagnon de voyage rencontré par hasard, et dont elle a eu vite fait de se séparer, tant sa balourdise l'exaspérait. Au bout d'une semaine passée en compagnie de ce lourdaud toujours pendu à ses basques, elle n'en pouvait plus d'entendre ses récriminations grossières («Trois cents lires pour le couvert! Y pensent-tu qu'on va manger nos ustensiles!»), ses commentaires plats («Quand y sortent des toilettes, les Italiens s'lavent pas les mains, mais y'oublient jamais d'se peigner par exemple...»), ses questions naïves («J'me d'mande bien c'qu'y font avec toutes ces tomates pas mûres?»). Elle se remémore les sempiternels: «Comme tu voudras, Charlotte!», témoignages répétés de l'esprit conciliant mais infantile de son compagnon. Et, plus insupportable encore, sa manie d'évoquer à tout bout de champ Montréal et, ses environs («le bassin de l'Arno, c'est un peu la vallée du Richelieu des Florentins, non?...»), ou d'étaler avec complaisance les mérites artistiques de ses habitants, surtout en présence de touristes français («Ça bouge, à

Montréal, on craint pas d'innover... On a des chanteuses qui ont d'la voix, des humoristes bourrés de talent, des cinéastes fameux... À propos, vous avez sûrement vu *Le déclin*?»). Il n'a pas été facile de convaincre ce «péteux de bretelles» d'aller voir ailleurs si elle y était...

Une fois la rupture consommée, Charlotte a retrouvé le plaisir de voyager seule. Fuyant désormais ses compatriotes, elle a fait la connaissance de gens de toutes sortes, autochtones ou étrangers de passage. Aucun trouble-fête n'est venu gâcher la suite de son voyage. Mais, à force de toujours donner les mêmes réponses aux mêmes questions («Québécoise.» — «Pas de Québec, non, de Montréal. Québec n'est pas que le nom d'une ville, c'est aussi le nom d'une province du Canada.» — «Oui, c'est là qu'on parle français.» — «Non, tous les Canadiens ne sont pas bilingues.» — «L'italien? *Si, ma poco*.» — «Trois mois.» — «Oui, en Italie, trois mois en Italie...» — «Parce que c'est le plus beau pays du monde.» — «Bof! fonctionnaire, disons...» — «Hum! Un petit héritage...»), elle s'est lassée.

Peu à peu, Charlotte s'est mise à fabuler, à s'inventer une origine (gaspésienne, provençale, wallonne...) un passé (fille de pêcheur, d'architecte, de diplomate...), et même un présent (stagiaire en muséologie, reporter, ballerine...) fictifs. Elle s'est vite fait prendre au jeu, allant jusqu'à user de pseudonymes et de travestissements. Qu'est-ce qui l'a poussée à agir ainsi? Elle n'en sait rien. Peut-être est-ce là le seul moyen qu'elle a trouvé de protester contre son identité, comme si le voyage ne suffisait pas à lui seul à combler son besoin d'évasion?

Son travail enfin terminé, le guide escalade le mur qui sépare l'arène de l'amphithéâtre. Il est souple quoiqu'un peu grassouillet. De toute évidence, il se dirige vers elle. Malgré sa rondeur, il n'est pas dénué de charme.

Il a la grâce épanouie du «Bacchus adolescent», une peinture du Caravage exposée à la Galerie des Offices. Mais ses cheveux qui commencent à grisonner indiquent qu'il a déjà dépassé la trentaine. Perplexe, Charlotte ne sait pas encore laquelle de ses personnalités fictives elle endossera. Chose certaine, ce sera le dernier rôle qu'elle interprétera, car dans moins de quarante-huit heures elle aura effectué son retour sur la scène montréalaise.

Mais, avant même qu'elle n'ait le temps d'entrer dans la peau de l'un de ses personnages, son partenaire est déjà à ses côtés. Sa première réplique concerne ses origines. Charlotte se met à bafouiller. Peut-être est-ce le charme désinvolte du Florentin qui l'intimide? Elle a presque envie de lui dire la vérité, «rien» que la vérité. Mais, à la perspective d'avoir à décrire Montréal et ses «maisons aux escaliers extérieurs», elle se ravise. Elle entraîne son *cicerone* à Nice, et, songeant en son for intérieur à la laideur des installations portuaires qui masquent le fleuve Saint-Laurent à la vue des habitants de Montréal, elle dépeint la ville blanche qui s'étend autour de la baie des Anges. Son interlocuteur l'écoute distraitement. Interrompant sa description du marché aux fleurs, il l'interroge sur ses voyages à l'étranger. Elle énumère les pays d'Europe qu'elle a visités.

«*E l'America?*», s'enquiert-il. Elle esquive prudemment la question en la lui retournant. Il répond qu'il a parcouru presque toute l'Amérique du Nord, où plusieurs membres de sa famille ont immigré. «*Sorprendente America!*», conclut-il. Elle affirme avec aplomb que la compagnie de ballet à laquelle elle appartient a donné quelques spectacles aux États-Unis, mais qu'elle n'échangerait pas Nice contre New York ou Chicago. Détachant son regard de ses jambes de danseuse, il enchaîne en lui demandant si elle connaît *Montreale*. «Non», répond-elle en détournant la tête. «*E peccato!*», s'exclame le Florentin, qui met fin à la conversation en l'invitant au restaurant. Ensuite, murmure-t-il à mi-voix, si elle en a envie, ils poursuivront la soirée dans son appartement de la *via Solferino,* où il lui fera voir sa collection de cartes postales de *Montreale.* À l'occasion d'un prochain voyage en Amérique, peut-être aura-t-elle la chance de visiter la métropole du Québec? À elle seule, la ville souterraine vaut le détour.

Ébranlée, Charlotte hésite. Elle se lève. Elle a peine à se l'avouer, mais elle est subjuguée. Si elle s'écoutait, elle suivrait son *cicerone* au bout du monde, même à *Montreale.*

Octobre 1991

HÉLÈNE RIOUX

Retour

Ce qui frappe, la plupart du temps, quand on arrive à Montréal, c'est la sérénité de la ville. Pour commencer, on ne peut pas dire qu'elle soit surpeuplée: non, c'est vrai, deux millions d'habitants, pour une île de cette étendue, c'est relativement peu. Imaginons que, par exemple, on descende de l'avion en provenance de Paris où l'on vient de passer trois semaines. Un mardi de septembre, disons, et il fait soleil. Un être aimé est venu nous accueillir à l'aéroport. En levant la tête, on l'aperçoit qui gesticule derrière la grande vitre. Quelques instants plus tard, il nous ouvre les bras, on sourit dans son cou, on se sent très légère. Il est trois heures et demie de l'après-midi lorsqu'on s'engage sur l'autoroute. Quel calme! Les étrangers s'en émerveillent toujours. Tous les Français qu'on a rencontrés en voyage le disaient, un éclair d'envie leur allumant l'œil. Ils demandaient combien il fallait compter pour le loyer d'un trois-pièces au centre-ville et poussaient de grandes exclamations incrédules en entendant le chiffre. Ceux qui avaient déjà séjourné à Montréal ne tarissaient plus d'éloges sur l'affabilité de nos concitoyens, la courtoisie des automobilistes. Une ville à l'échelle humaine, voilà comment on pourrait la définir. Hospitalière pour les ethnies, offrant les avantages d'une métropole, toute une gamme de services et de divertissements, expositions, concerts, pistes cyclables, sans pour autant étouffer ses habitants. Ah oui, on est loin du métro de Tokyo et de la pollution de Mexico. Montréal est demeurée une cité vivable et respirable.

La radio de la voiture diffuse du Schubert en sourdine. Les yeux mi-clos, on relate de menues anecdotes en allumant une cigarette, on veut connaître les dernières nouvelles. Rien de vraiment spectaculaire: le «Festival Juste pour rire» a été un succès, un ministre magouillard a dû donner sa démission. On commente en riant: on n'a pas manqué grand-chose.

Disons qu'on emprunte la sortie Rockland-L'Acadie, qu'on traverse Ville-Mont-Royal et qu'on entre dans Outremont. Les rues s'étalent, larges et bordées de feuillus. Dans les parterres, les dernières fleurs de l'été, un tantinet mélancoliques parce qu'elles sont les dernières. Les enfants qui s'amusent sur les trottoirs n'ont pas l'air affamés, ni malheureux. Leurs vêtements colorés font des taches fluorescentes qui éclaboussent le fond gris, rouge brique, vert et bleu du paysage urbain. On aime voir les enfants jouer aux abords des rues où les voitures roulent avec prudence, on aime entendre leurs rires sonores. On sait qu'ailleurs, dans des villes du Sud tout éclatantes de soleil, des enfants du même âge mendient et souffrent. On suit des yeux un petit groupe de marmots, encadrés de leurs moniteurs, qui se dirigent en file indienne vers un parc. On pousse un soupir de bien-être. Quel bonheur de sentir les enfants en sécurité.

Plus tard, le frigo ayant été vidé avant le départ pour les vacances, on fait une pause à l'épicerie pour acheter quelques denrées de base. Le sourire épanoui de la caissière nous réchauffe le cœur. À ses questions joviales, on répond que oui, on a passé d'excellentes vacances à Paris, on en a profité pour beaucoup sortir — musées, théâtres —, qu'on a si bien mangé, on a sûrement pris du poids, qu'on a fait un court séjour en Normandie mais que, tout compte fait, on n'est pas mécontente de rentrer. On échange avec l'être aimé un sourire de tendre connivence. Puis, voilà que notre regard est happé par une affiche fixée au mur près du comptoir de produits laitiers. Une quarantaine de photographies d'enfants, fillettes, garçonnets, adolescentes, au-dessous desquelles on peut lire le nom et la date de disparition. Sur certaines, les enfants arborent de larges sourires réjouis malgré les dents manquantes; d'autres ont un petit air timide, d'autres encore, espiègle. Disparus. Quoi, est-ce bien ici que ces choses se passent, dans ce lieu calme, cette ville si humaine? Un clou nous entre dans le cœur.

Un visage, entre autres, nous semble familier. On se tourne vers l'être aimé. «Oui, nous renseigne-t-il, celle-ci habitait le quartier. Tu l'as peut-être déjà croisée dans la rue.» On reste pétrifiée devant l'affiche. L'être aimé glisse son bras sous le nôtre, tout se met à tourner, on appuie un instant notre tête sur son épaule. Puis, on déchiffre le nom qui nous est inconnu, la date de la disparition. Il y a trois semaines, tiens, le soir même où on s'envolait vers la France, une enfant ne rentrait pas chez elle. Tout près d'ici, sa mère, d'angoisse, a perdu le sommeil. On voit graduellement se dessiner, en surimpression, ses traits hagards. Elle est prostrée près du téléphone, ses lèvres remuent, elle implore tout bas. Quand on lui présente de la nourriture, elle secoue la tête, puis elle avale du café noir, puis elle vomit et fond en larmes.

On tend la main vers un litre de lait, on le dépose dans le chariot, avec le pain, le fromage et le beurre, les pommes vertes. On se dirige vers la caisse, on paie, on sort, on remonte dans la voiture, on rentre chez soi. On n'a tout à coup plus envie de raconter des anecdotes. À la maison, il y a cette gerbe de marguerites dans un vase posé en évidence sur la table du salon, et ces mots que l'être aimé a tracés sur la carte: «Bienvenue dans ton quotidien, mon amour.» Il nous demande si on a faim, il propose cette terrasse si sympathique, rue Lajoie, disant que c'est une des dernières fois, l'automne est à la porte, dans une semaine, toutes les terrasses des restaurants seront fermées. On n'a pas faim mais on accepte et là, on boit du Muscadet et, puisqu'il insiste tant, on commande une salade. On parle de choses et d'autres. On plaisante un peu avec le serveur, mais le cœur n'y est pas vraiment et il comprend que c'est le décalage horaire. Puis, on rentre en marchant main dans la main — l'air est si doux.

On a tout à coup envie de faire une halte et on opte pour le parc Outremont, on s'installe près du plan d'eau. À quelques pas, des adolescents chahutent dans l'herbe, tournant leurs professeurs en dérision. D'un magnétophone, s'échappe la musique des Doors et, simultanément, monte l'odeur un peu âcre de la marie-jeanne. On entend des blagues, des rires, des propos incisifs sur l'absurdité de la vie. On éprouve un furtif réconfort en les sentant là, à proximité, presque heureux, et à être le témoin de leur insouciance, ou de leur révolte. Puis, l'affiche avec les photos des disparus s'imposant à notre conscience, on cligne des yeux. L'être aimé, croyant qu'on pleure, resserre un peu l'étreinte de son bras autour de nos épaules. Il murmure que la vie est injuste, elle l'a toujours été, mais qu'il faut se blinder. Il dit qu'il nous sent trop vulnérable.

On rentre à la maison, on allume le téléviseur pour les nouvelles. Constitution, décès d'un magnat de la presse, menace d'une guerre civile quelque part dans l'hémisphère Est, un corps repêché cet après-midi dans le fleuve. Un corps d'enfant. Sexe féminin. Le rapport d'autopsie suivra. On murmure «Oh! non», puis «Pourquoi?» et l'être aimé éteint l'appareil. Tout devient noir. Et vide. On va se coucher. On n'a pas envie de faire l'amour, même s'il y a trois semaines. On sanglote dans l'oreiller.

Le lendemain, on retourne à l'épicerie, mais notre regard évite l'affiche. On ne veut plus voir ces enfants; leurs sourires, leurs airs timides, futés ou trop sérieux nous lacèrent. La journée s'écoule sans qu'on réussisse à penser à autre chose. Il fait pourtant encore soleil et l'air est doux dans cette enclave de la ville. Les rues où l'on marche longtemps s'étalent, larges et bordées d'arbres, un chat tigré trône sur un balcon; on remarque, sur le côté, une petite échelle appuyée à la balustrade pour lui permettre d'aller et de venir. On s'arrête pour l'appeler mais il nous ignore, superbe et souverain, léchant sa patte. Une femme élégante passe, tenant en laisse son caniche. Des groupes de bambins encadrés de leurs moniteurs envahissent en piaillant les espaces verts, se disputent à grands cris les balançoires. Puis c'est l'heure où les écoliers s'égaillent en essaims colorés, cartables sous le bras. Deux fillettes chantent d'une voix haut perchée: «Moi, je rêve d'une forêt, d'une forêt en santé où tous les jours j'irais comme dans un conte de fée.» On contemple toute cette vie dans la ville, on en mesure la fragilité avec un sentiment absolu d'impuissance. Plus tard, on est assise face à la fontaine, sur les genoux un livre qu'on ne lit pas. Des écureuils se chamaillent dans les allées, grimpent, agiles, sur le tronc des érables. On rentre à la maison et on écoute la voix de l'être aimé sur le répondeur. Il s'est ennuyé, il a envie de nous voir, il va apporter ce qu'il faut pour le souper, «à tout de suite, mon amour».

Quand il arrive, on est sur le balcon, on tient à la main un apéro sucré. Il dresse le couvert sur la table de jardin, il y dépose la bouteille de vin blanc, très frais, la quiche et les tomates, les olives. Il demande comment on a passé la journée et on répond qu'on a marché, qu'on a lu dans le parc, qu'à l'automne, en fin d'après-midi, la lumière filtrée par les gerbes d'eau de la fontaine a quelque chose d'à la fois irréel et déchirant, qu'on aime surtout ce moment, juste avant le coucher du soleil, où d'invisibles oiseaux s'égosillent dans les branches. On dit qu'on a vu une jeune femme avec son enfant jeter du pain aux moineaux et celui-ci, comme tous les gamins du monde, les poursuivait, bras ouverts comme des ailes, en s'esclaffant bruyamment. On s'informe à propos du rapport d'autopsie et il dit que rien n'a encore été révélé, qu'il faudrait qu'on cesse d'y penser, qu'on se complaît dans un état morbide. On se tait. Plus tard, quand la lune est apparue dans le ciel noir, on se lève, on va s'asseoir sur le genoux de l'être aimé, on lui fait face, nos cuisses enserrant ses hanches, et on a ce désir sauvage, désespéré, qu'il nous prenne là, sans préambules, et qu'on s'enfonce ensemble dans la nuit noire de la ville, comme dans un abîme. On ferme les yeux, des images horribles de corps d'enfants mutilés nous assaillent. On ne rentre pas pour regarder le journal télévisé.

Des journées passent ainsi. On apprend que le corps repêché dans le fleuve était bien celui de la fillette disparue, qu'il portait des blessures indéterminées. Sévices, tortures, quelque part dans la ville, des plaintes résonnent encore qui n'ont pas été entendues, des coups et des injures pleuvent sur des enfants recroquevillés, des femmes terrorisées se réfugient dans des placards pour échapper à la furie de leurs conjoints. La ville est une éponge, elle absorbe les faits divers. Elle se réveille puis elle s'endort. Un cri d'indignation s'élève à l'occasion, ensuite elle se tait. Les restes sont déposés dans un cercueil qu'avale le cimetière. La famille en grand deuil titube dans les allées. On continue de passer devant l'affiche lorsqu'on se rend à l'épicerie acheter du lait. On se demande si, un jour, quelqu'un, une femme, une mère, ne va pas l'arracher et le piétiner en hurlant. Personne ne l'arrache, personne ne la regarde. Les sourires édentés, les expressions timides ou insolentes semblent figés pour l'éternité.

Un jour, on marche rue Sainte-Catherine et on aperçoit, dans la vitrine d'un sex-shop, une paire de menottes entre une boîte de condoms aux fruits de la passion et un slip de cuir noir, une femme écartelée et enchaînée sur la couverture glacée d'un magazine porno; plus loin, un graffiti néo-nazi peint en blanc sur un mur de briques. On se rend jusqu'au pont Jacques-Cartier et là, fixant l'eau sale, on crie dans sa tête des invectives au fleuve, «Et les autres, qu'est-ce que tu attends pour les rendre, sale fleuve pourri, les cadavres d'enfants aux langues coupées, aux yeux crevés, qu'est-ce que tu en as fait, qu'est-ce que tu attends pour les cracher? Tu coules et tu t'en fous, c'est ça? Tu charries des cadavres que tu donnes en pâture à tes poissons monstrueux, c'est ça? Tu as beau scintiller au soleil, tu n'es qu'un ventre obscène grouillant de vers.»

Quand on le raconte à l'être aimé, il hoche la tête d'un air attristé, il dit que rien de tout cela n'est nouveau, qu'à toutes les époques, dans toutes les villes du monde, personne n'est à l'abri, tu le sais bien, il n'y a pas de lieu sûr, ni pour les enfants, ni pour personne. En nous, quelque chose se raidit et refuse. On s'insurge: «Qu'est-ce que c'est, c'est le Moyen Âge peut-être, c'est la guerre?» et il répond que c'est toujours la guerre, dans un cerveau tordu, un cœur dénaturé. On ne veut plus jamais lire le journal mais on le lit quand même et on apprend chaque jour les horreurs qui se cachent dans la ville sereine, cette ville à l'échelle humaine: une cave où on a découvert des instruments de torture, des ossements dans des sacs verts au fond d'une ruelle, un congélateur contenant des restes humains. Chaque jour apporte sa ration de misère. Le temps passe et les feuilles tombent sur les trottoirs; c'est un tapis rouge et meurtri dans les allées des squares où des enfants confiants furent enlevés. Plus tard, la neige couvrira les flaques de sang qui souillent des aires de stationnement. Les enfants porteront alors des habits de neige qui formeront des taches mauve, vert fluorescent sur le fond gris, blanc et rouge brique du paysage urbain. Au printemps, tout le sang aura été effacé et la neige n'aura plus rien d'immaculé.

À l'épicerie, l'affiche aura été remplacée par une autre où une quarantaine de frimousses, mutines ou trop sérieuses, interrogeront l'objectif. Pour l'éternité.

GAÉTAN BRULOTTE

Devenir Montréalais

Quand il a rencontré Mimi à Montréal, Maurice était fonctionnaire à Québec. Lent, passif et timide, il avait passé toute sa vie à Duberger, banlieue insipide de la capitale. C'était un grand échalas provincial, sans envergure, sans ambition, sans projet existentiel exaltant. Avec Mimi, cependant, sa vie était sur le point de changer radicalement: il envisageait de devenir Montréalais, ce qui n'était pas une mince affaire, car il avait jusque-là associé la métropole à la séparation. Dans le passé, il avait en effet perdu de nombreux amis et compagnes qui avaient déménagé à Montréal. Il lui semblait que son entourage était frappé d'une sorte de maladie qu'il appelait la *montréalite,* et qu'il n'avait guère essayé de comprendre jusqu'à ce qu'il rencontre Mimi.

❑

Les premiers symptômes de la montréalite, Maurice les connut alors qu'il n'avait que sept ans. Les voisins de la maison familiale, rue Couillard, avaient brusquement quitté Québec pour la métropole sous prétexte que la vie y était plus prospère. Les Belleau — c'était leur nom — avaient deux enfants, Niche et Néré, qui étaient très proches de Maurice. Ce dernier était amoureux de Niche — dans sa famille, on ne manquait pas une occasion de le taquiner là-dessus — et son meilleur ami n'était nul autre que Néré, d'un an plus vieux que sa sœur. Niche avait un caractère dégourdi, un petit visage potelé, une bouche lippue, un nez retroussé, des cheveux blonds et bouclés. Maurice avait gardé une photo d'elle en robe blanche à pois rouges, sa préférée. Partenaire de ses premiers jeux sexuels, Niche l'avait marqué pour la vie. Quant au petit nerveux Néré, Maurice avait fait les quatre cents coups avec lui et connu les premières complicités de l'amitié. Les soirs d'hiver, il feuilletait encore souvent son album de photos et se remémorait ces moments si déterminants de son enfance, rue Couillard. Le jour où les Belleau partirent pour Montréal, ce fut une catastrophe pour Maurice. Les deux familles, qui se connaissaient depuis presque vingt ans, avaient essayé de se rassurer ou de couvrir peut-être leur chagrin, en prétendant que rien ne changerait de leur longue amitié et qu'elles continueraient à se voir souvent. Après tout, trois heures de route, ce n'était pas si loin.

Mais ils ne se revirent plus jamais, sauf une fois. C'était au Parc Belmont. Niche et Néré étaient absents: ils avaient d'autres occupations plus importantes que celle d'accompagner leurs parents et de revoir Maurice. Ce jour-là fut le plus triste de l'enfance de Maurice, qui en mûrit d'un seul coup. Les Belleau ne lui semblaient guère plus prospères qu'avant, bien au contraire. Ils étaient au chômage et vivaient misérablement dans un minuscule taudis infesté de cafards. Ils avaient eu un troisième bébé dont l'activité favorite consistait à manger ses propres excréments, accroupi sous la table de la cuisine. Tel était donc tout l'éclat des Belleau à Montréal... Maurice comprenait pourquoi Niche et Néré cherchaient à fuir le foyer familial. Après cette rapide excursion, il passa des mois prostré dans son chagrin. Il n'arrivait pas à se remettre de cette séparation cruelle d'avec ceux qu'il avait tant aimés — la belle Niche, si poétique, et le petit Néré, si drôle — ni à accepter cette absurde dégradation de leur sort.

Le temps passa. Il oublia. Il n'eut pas le choix. Ses études l'accaparèrent totalement. Vers l'âge de vingt ans, il vécut un deuxième traumatisme: sa petite amie, Didi, dont il était devenu éperdument amoureux, déménagea, elle aussi, à Montréal pour y poursuivre des études. Didi, les cheveux blonds flottant sur les épaules, était très différente de Niche. Ni potelée ni sensuelle, mais plutôt maigrichonne et intellectuelle, elle se passionnait pour la philosophie et les arts. Complexée par un nez arqué et des oreilles décollées, elle s'estimait en sécurité auprès de Maurice qui l'aimait pour d'autres traits que sa beauté. Didi avait été élevée à la ferme, avec les valeurs fortes que Maurice associait à ce milieu: travail, solidarité, entraide, stabilité, fidélité, honnêteté, authenticité. Mais le tourbillon de la vie urbaine la fascinait. La ville représentait pour elle comme un dépassement esthétique du monde familial et une ouverture sur tous les possibles. Elle avait rencontré Maurice chez des amis à Québec. Cette ville moyenne constituait la première étape de sa conquête des grands centres. La seconde étant, bien sûr, Montréal. Maurice en fit vite les frais affectifs. Après cinq ans passés à tisser leurs liens, Didi décida, un bel été, de s'en aller dans la métropole pour fréquenter l'École des Beaux-Arts. Les deux amis se promirent de ne pas se perdre de vue, mais, finalement, la distance eut raison de leur attachement. Didi devint végétarienne et gagna peu à peu l'univers sans issue de la drogue.

Deux ans plus tard, Maurice s'enamoura d'une femme courte et rondelette, qu'il surnomma Poussah, et qu'il avait rencontrée un jour de grande neige à la bibliothèque municipale de Québec. Ça avait été le coup de foudre immédiat. Elle lui rappelait Niche en plus exubérante, et, avec elle, Maurice découvrit ce qui lui paraissait être la vraie femme: il expérimenta des excès de désir et de plaisir comme il n'en avait jamais vécu jusque-là. Ils s'aimèrent à la folie, passèrent des journées entières à s'étreindre, s'enivrèrent souvent, fréquentèrent les meilleurs restaurants. Pour approfondir leur passion, ils s'évadèrent à la campagne, sous la tente, l'été, ou dans des chalets divers, de la Gaspésie à Sainte-Adèle. Ils s'aimèrent dans des retraites variées sous tous les climats: dans le désert de l'Arizona, dans les montagnes de la Sierra Nevada, dans les forêts de la Beauce, près de la mer à La Jolla, sur la neige du mont Tremblant, sur l'herbe de Montebello, dans la vase de Saint-Alexis-des-Monts, sous la pluie à Charlevoix ou près du feu à Saint-Jérôme. Ils s'aimèrent en barque sur un lac de la Mauricie, dans l'avion au-dessus de l'Atlantique, en train entre Montréal et Toronto, en Mercedes comme en R-4 au bord des routes et dans plusieurs villes d'Europe.

Après un an de bonheur intense au cours duquel Maurice connut toutes les grandes joies de la vie, Poussah quitta Québec pour Montréal afin d'y suivre sa famille. Encore une montréalite aiguë! Ce fut pour Maurice, si sensible, l'effondrement intérieur. Les parents de Poussah étaient des industriels fortunés qui venaient juste de vendre leur usine de Québec pour gagner le monde soi-disant plus prospère de la métropole. Poussah et Maurice continuèrent d'entretenir leur relation tant bien que mal, à distance, en se voyant les week-ends. Puis, les interurbains passionnés se firent de plus en plus fades et espacés. Peu à peu, ils perdirent de vue le sens de leur amour. Bientôt, les tromperies assombrirent tout avec les tourments de la jalousie. Ce fut la fin. Leur séparation physique ne générait que souffrance: leur cœur dut se rendre à la raison. Maurice s'abrita dans son travail, ce qui lui valut des promotions qu'il ne souhaitait pas vraiment. Poussah se plongea dans ses études qu'elle ne parvint d'ailleurs jamais à terminer, sa famille s'étant ruinée dans une mauvaise affaire. Elle épousa bientôt un barman qu'elle laissa tomber deux mois plus tard, mais donna naissance à un mongolien qui allait accaparer l'essentiel de sa jeunesse.

Au fil des ans et des expériences, Montréal devint ainsi, aux yeux de Maurice, un centre maléfique qui engouffrait tout ce qu'il aimait ou avait pu aimer.

Un jour, peu après cette pénible séparation d'avec Poussah, il prit une revanche inattendue sur cette ville, et ce, bien malgré lui. Un ami — d'un autre ministère de Montréal — lui tendit un piège pour essayer de le guérir de son deuil amoureux. Il lui fit rencontrer Mimi. Maurice tomba aussitôt à pieds joints dans le piège. Mimi était d'une quinzaine d'années plus âgée que Maurice. Elle habitait, à Notre-Dame-de-Grâce, un appartement défini comme cossu, mais étriqué. Elle venait d'une famille dite aisée, mais déchue, s'habillait de vêtements prétendus chic, mais démodés, et cultivait des relations mondaines qu'on qualifiait de huppées, mais où régnait la mesquinerie. Divorcée et mère de trois adolescents, Mimi travaillait dans les perles. Au premier abord, elle avait bien peu d'atouts pour plaire à Maurice. Mais sa personnalité compensait sa situation sociale: son charme, son intelligence, sa créativité, son tempérament flamboyant, son humour, ses conversations longues et profondes dans lesquelles elle mélangeait l'anglais au français, ses façons enthousiastes de raconter des histoires, tout le passionna. Fort de ses expériences antérieures, il était disposé à changer sa vie pour elle et à devenir à son tour, ô calamité!, Montréalais. Il ne voyait pas d'autre solution, Mimi ne pouvant pas déménager. Plutôt que de passer sa vie à se lamenter sur cette montréalite maudite qui affectait les autres, Maurice décida de s'exposer délibérément à son tour à sa contagion.

Puisque tous les êtres qu'il avait aimés jusque-là avaient été emportés dans l'aventure, pourquoi ne profiterait-il pas, lui aussi, des forces qu'il tirait de cette nouvelle liaison pour prudemment s'installer au sein de ce territoire ennemi, pour conquérir le cœur même de cette adversaire métropolitaine. Peut-être serait-ce là la meilleure façon d'en exorciser les maléfices. Pourquoi ne pas venir y habiter avec Mimi et y travailler dans l'espoir d'y éprouver, à son tour, d'éventuelles visions agrandies de la réalité et d'y vivre cette unique croissance existentielle que tout le monde semblait associer à cette ville miraculeuse. En attendant, pour apprivoiser Montréal progressivement, il se mit à voyager chaque semaine par train ou par bus, selon les horaires, pour rejoindre Mimi et, avec son aide, investit toute son énergie pour attraper cette magique maladie qui devait démultiplier son vécu. Il finit par acheter sa première voiture pour pouvoir se déplacer plus facilement. Il connut alors les joies de la radio dans les embouteillages, s'initia à la méditation aux innombrables feux rouges, raffina son sens de l'observation dans la course aux parkings et dans les étroits créneaux, se familiarisa avec le langage muet du volant — de la queue de poisson alerte à l'élégant bras d'honneur —, découvrit, en s'égarant souvent, de charmants coins secrets, faute de connaître les sens interdits. Ses multiples contraventions le contraignirent au respect des lois et contribuèrent à son instruction morale. Il apprit la patience dans les inévitables queues et l'art de converser avec les étrangers, souvent dans des langues inconnues. Il cultiva le bain de foule et s'aiguisa les coudes dans les cohues. Il adopta une mentalité plus fonceuse. Il développa ses jarrets dans les escaliers, solution sportive aux problèmes des ascenseurs en panne. Le bruit des voitures et des sirènes lui fit explorer l'hyperconscience de l'insomnie, combien plus intéressante que les platitudes abruties et les colossales pertes de temps du sommeil. La pollution renforça son corps en le bourrant d'anticorps et le dota d'un organisme moins fragile, capable de supporter les pires agressions. La vue sur le mur de l'immeuble voisin l'incita au repliement sur soi et à l'élévation spirituelle. Il dut changer radicalement sa conception de l'argent: la valeur des choses à Montréal n'ayant plus de prix, il avait bien été obligé d'admettre qu'un café rue Saint-Denis, chargé de si riches connotations, était de toute évidence meilleur qu'ailleurs et valait donc son pesant d'or. À Montréal, par conséquent, l'argent ne comptait plus ou, plutôt, on ne devait plus le compter: on le dépensait et on n'en parlait plus, toute comparaison économique devenant oiseuse.

Parce qu'il commençait enfin, du moins le croyait-il, à goûter à ce surcroît existentiel qui semblait soulever intérieurement tout Montréalais, il décida de parfaire sa mutation: il consacra ses loisirs et ses vacances à chercher un emploi dans la métropole. Plus de temps pour le cinéma avec sous-titres, les improvisations du théâtre, les enrichissants vernissages, les moutardes nocturnes de chez Ben, le lèche-vitrines dans la rue Sainte-Catherine, la bière connotée de la rue Laurier, le patinage polaire sur le lac des Castors, ou la vue prenante, chez les parents de Mimi, du cimetière Notre-Dame-des-Neiges. Maurice épluchait méticuleusement, du matin au soir, les petites annonces de *La Presse* et du *Devoir,* voire de la *Gazette.* Pour la première fois de sa vie, il rédigea son curriculum vitæ. Comme ce dernier ne convenait jamais parfaitement à chacun des postes qu'il convoitait, il le révisait sans cesse. Après de multiples rédactions et remaniements, il était enfin rompu à cette essentielle rhétorique du moi à laquelle il n'avait jamais été initié auparavant. Il s'employa à la parfaire au moyen de démarches téléphoniques, porte-à-porte, engueulades à des guichets, quête humiliante de lettres d'appui, collection de documents, établissements d'attestations, photocopies de diplômes, rendez-vous et salles d'attente, interviews terroristes, déjeuners creux, mondanités soûlantes, jeux d'influences, interventions de la famille de Mimi. Tout cela consuma un temps infini. Rien n'y fit. Il n'obtint que des rejets. Ces vexations contribuèrent à modeler son caractère. Mais, bientôt, il dut bien reconnaître qu'il sombrait dans la dépression. Par moments, des regains d'énergie de plus en plus faibles relançaient sa quête, mais ils ne faisaient ultimement qu'amplifier ses défaites. Sa revanche sur Montréal avait donc avorté et Maurice ne comprenait pas. Qu'avait-il qui le faisait exclure ainsi? Ou, plutôt, que lui manquait-il par rapport aux autres? Que fallait-il donc pour attraper la montréalite et devenir Montréalais? La réponse lui apparut un jour comme une évidence, à travers les multiples propos qu'on lui avait tenus et qui allaient tous dans le même sens: il était «trop» justement: trop honnête, trop appliqué, trop qualifié, trop Québécois. Eh! oui! trop Québécois pour être Montréalais. Et, surtout, il voulait trop devenir Montréalais, il était trop prêt à tout pour l'être et il avait trop de chances d'y réussir. C'est ce désir excessif qui le perdait. Ce qu'il croyait être des atouts lui nuisait à tous égards. Il fallait se montrer plus détaché, plus je-m'en-foutiste, plus n'importe quoi, plus désinvolte, pour atteindre le juste degré de sous-qualification requis. Telle était la meilleure recette. Il n'avait apparemment pas su jouer la bonne carte pour rejoindre l'enviable, la rare, la digne confrérie des contribuables olympiques. Le dépit soulevait en lui toutes ces pensées ironiques et avivait son amertume.

Un soir de soûlerie et de désespoir, alors qu'il quittait Montréal pour sa pauvre ville de résignation et de travail, Maurice eut un grave accident d'automobile, qui lui fit prendre une conscience nouvelle de son existence. Vers une heure du matin, au carrefour des rues Saint-Laurent et Drolet, il avait démoli sa voiture, après être entré en collision avec un autre véhicule qui avait rebondi sur un troisième pendant que le sien avait ricoché sur un quatrième. Quatre autos embouties en quelques secondes, en plein cœur de la ville. Aucun blessé, sauf Maurice. Il s'était retrouvé à l'Hôtel-Dieu à moitié inconscient, avec deux côtes cassées, la rate quasi éclatée, le front ensanglanté. Le lendemain matin, quand il se vit immobilisé dans son lit d'hôpital, un homme vert, penché sur lui, l'examinant comme un insecte rare, il réalisa qu'il y avait presque laissé sa peau. Il venait d'avoir trente-trois ans. Que lui apportait cette course à la montréalite? Rien. Que lui donnaient, concrètement, toutes ces démarches consumantes et humiliantes? Rien. Qu'est-ce qui justifiait cette folie? Était-ce vraiment l'amour de Mimi? N'était-ce pas plutôt une maladie de l'imagination? Quel était l'avenir réel de sa liaison avec Mimi? Où le menaient tous ces allers et retours hebdomadaires entre Québec et Montréal, par tous les temps et à toutes les heures du jour ou de la nuit, au milieu des plus dangereuses intempéries de l'hiver et des pluies verglaçantes de l'automne? Ces déplacements étaient déstabilisants, épuisants et stériles. En un mot, absurdes.

La décision fut chirurgicale. Quelques jours après être sorti de l'hôpital, il rompit sa relation avec Montréal et, par conséquent, avec Mimi. Il était guéri pour toujours de sa crise de montréalite. Cette maladie, il la laissait désormais aux autres, à tous ceux qui semblaient mieux sous-qualifiés que lui pour l'attraper.

❑

C'est par une voie détournée que Maurice réussit finalement, sur le tard, à apprivoiser la métropole: il ne la considéra plus que comme une ville de passage. Montréal devint ainsi une chambre d'hôtel, liée aux retrouvailles d'amis et d'amantes éphémères. Montréal, c'était désormais la ville de la fête amicale ponctuelle, celle du papillon sur la fleur occasionnelle, celle du flocon de neige qui fond aussitôt au sol. Bientôt, à peu près au moment où il apprit que le plus jeune fils de Mimi avait été jeté en prison, pour vol qualifié, et que son commerce de perles avait fait faillite, Maurice quitta le Québec pour représenter son ministère dans diverses missions diplomatiques à l'étranger. C'est ainsi que la menace de la montréalite s'éloigna de lui, décisivement. Montréal ne s'associa plus alors, pour Maurice, qu'à Dorval, voire qu'au Hilton de l'aéroport. Cette ville était devenue symbole de la futilité des entreprises humaines. Il ne la fréquenterait plus qu'en vitesse. Elle ne l'attraperait jamais plus. C'était la ville-seuil par excellence, celle au bord de laquelle il viendrait de temps à autre, y pénétrant à peine, sans jamais y séjourner longtemps. Montréal ou la ville des coups de vent!

EMMANUEL AQUIN

Notre Réal

Réal était un nègre. Il y en a beaucoup comme lui dans notre belle ville. Voici son histoire.

Sa maisonnette était plantée dans un des bas quartiers de la ville, près du fleuve et des immondices, dans les intestins montréalais. Qu'avait fait Henri pour qu'on le canonise? Lui avait-on demandé son avis avant de baptiser ce taudis en son honneur? Réal se posait ces questions alors qu'il refermait la porte aux mille serrures derrière lui. Le soleil perçait à travers le voile de pollution. Des écureuils anémiques gambadaient péniblement dans les arbres morts.

Sportif de nature, notre héros entreprit de marcher au lieu de prendre l'autobus, qu'il ne pouvait plus se payer, de toute façon. Cet exercice le tiendrait en forme un peu plus longtemps, lui permettrait d'économiser sur ses prestations d'assistance sociale quelques jours de plus, lui donnerait le droit à quelques bouffées d'air vicié de plus. Quand on n'a pas grand-chose, on l'étire le plus possible.

Notre misérable personnage arriva donc, au petit trot, au pied du mont Royal, gigantesque mamelle qui avait nourri les sales Indiens jusqu'à ce que les braves Blancs la crèvent en y plantant un poignard qui, depuis, brillait fièrement dans la nuit. Réal n'avait pas été sevré de ce sein, il venait d'ailleurs, il était un enfant adopté, un organe greffé sur cette ville.

La reine Victoria le rapprocha un peu du paradis; il se retrouva sur la partie ouest de la montagne — ou Westmount, comme on dit en français. L'estomac de la ville. Abondamment nourri de fine cuisine, absorbant la crème de l'existence et recrachant le reste vers les intestins d'Henri, en bas, dans les égouts. Cela lui faisait tout drôle de se promener là, au milieu de gras oiseaux qui ne savaient chanter qu'en anglais. Lui n'était que la merde au chômage, la crotte de la basse-ville, l'étron importé d'Haïti dans ce pays javellisé par la richesse, mais il aimait se sentir touriste; cela lui donnait l'impression de voyager.

Puis, de vaisseau en veine, Réal déboucha dans l'artère de la Reine-Marie (sûrement la sœur de l'autre), en bas du paradis, sur l'autre face de l'Olympe. Le sang y circulait vite. «Surtout faire attention en traversant la rue», se dit-il. Au passage, il salua quelques déchets qu'il connaissait; entre épaves, il fallait s'encourager. Il vit même quelques coquerelles voler à gauche et à droite. Ses amies.

L'artère le mena à une jonction puis à une autre, et il aboutit dans un autre estomac, îlot de richesse entouré d'un océan de poissons nauséabonds, importés des quatre coins du monde. Il traversa cette île sur la pointe des pieds, de peur d'en réveiller les occupants. Des globules rouges le soupçonnèrent au passage, mais continuèrent leur route dans les rues sans lézardes de l'estomac-île. Il y avait là plusieurs sortes d'immunoglobulines qui veillaient au bien-être des citoyens. La vie des habitants stomacaux valait bien plus que la merde des intestins d'Henri le Saint.

Fuyant cet estomac, notre pathétique Réal se mêla au sang d'une artère qui menait droit au cœur, là où pompaient bruyamment les organes vitaux de Montréal. Dans ce tintamarre, on pouvait passer inaperçu, on pouvait oublier son identité. Les visages y perdaient leur couleur.

Du cœur, notre étron se fit recracher vers l'est, vers les maisons et les pieds: la main-d'œuvre de la ville. Sa destination. Et, plus il s'éloignait du cœur, plus il se sentait chez lui. Les écureuils redevenaient maigres, les oiseaux chantaient de moins en moins fort, les lumières étaient de moins en moins colorées. Au loin, posé là comme par erreur, un stade fragile et monstrueux. Il avait économisé longtemps pour y aller voir une partie de baseball. Oh! il ne pourrait se payer qu'une place dans les estrades populaires, mais cela ne le dérangeait pas: en fait, il préférait ne pas être dans les jambes des habitants stomacaux. Réal voulait rester dans son coin, à l'aise parmi les siens, regardant notre équipe se faire démolir une fois de plus. Il voulait voir des sales Noirs comme lui cogner des circuits, faire frissonner la foule, gagner des millions. Il voulait voir les riches payer pour admirer des étrons.

Au pied du stade, alors qu'il s'apprêtait à y entrer, un formidable bruit lui fit lever les yeux et il aperçu un énorme bloc de béton qui se préparait à l'écraser comme la punaise qu'il était. Il y eut un grand fracas alors que ce cheveu de cinquante tonnes tombait de notre stade à la calvitie grandissante.

Mais notre bon vieux nègre avait, comme ses cousins de toutes sortes, un excellent instinct de survie et il réussit à éviter la mort venue d'en haut. Ouf! La coquerelle venait d'éviter le tue-mouche divin.

Tout cela était de mauvais augure, conclut l'étron chanceux. Il valait mieux s'en retourner chez soi, bien à l'abri dans son trou. Ne pas tenter le diable. Survivre avant tout.

Réal fit demi-tour, content d'avoir, une fois de plus, déjoué le système immunitaire de la ville. Cette marche lui avait fait du bien, malgré tout. Il circulait donc paisiblement dans un vaisseau sanguin lorsqu'un anticorps s'arrêta à sa hauteur.

Ils étaient deux dans le globule blanc et bleu. Notre nègre ne les aperçut même pas. L'un d'eux sortit une arme et extermina notre microbe, le prenant pour un autre.

Ce n'était pas bien grave. Il y avait beaucoup d'autres vermines dans notre ville, il y en avait plus que notre système immunitaire pouvait en détruire. Notre pauvre Réal n'était peut-être pas un criminel, mais cela n'aurait été qu'une question de temps. Sûrement.

Sans plus de cérémonie, le globule bleu et blanc repartit à la recherche du bon microbe, tout en sachant qu'un jour la ville mourrait, en dépit de ses efforts: le système immunitaire de notre Montréal était déficient; ses anticorps n'étaient plus à la hauteur. Et on ne guérit pas du sida.

JEAN-PAUL DAOUST

L'objet d'art

À Annie Molin Vasseur

On n'est jamais guéri tout à fait d'un mal
qu'on a aimé.

CLÉMENT MARCHAND

«À Montréal, il fait présentement moins deux degrés. Il y a risque de neige en soirée. Habillez-vous chaudement. Des vents de...». Elle ferma la radio. Elle passa la main dans ses cheveux noirs qu'elle avait fait teindre la veille, en bas, dans le hall de la station Sherbrooke où venait d'ouvrir un nouveau salon de coiffure pour hommes et pour femmes. Ainsi, elle n'avait pas eu à sortir et affronter une pluie froide. Le coiffeur lui avait aussi coupé et gonflé les cheveux, lui faisant une sorte d'auréole noire qui nimbait ses yeux gris d'un «*look* très magazine», jugea-t-elle, ce qui l'amusa. Elle avait trente ans et elle était magnifique. Elle le savait. Ce qui donnait un poids encore plus effrayant à sa solitude. Elle alla vers une fenêtre et se colla le nez à la vitre. Il s'y forma une buée qu'elle essuya du revers de la main. Puis, elle admira le pont Jacques-Cartier qui reliait Longueuil à Montréal dans une pose de carte postale. L'après-midi s'estompait dans un temps maussade. Les lueurs roses de la ville devaient commencer à être perçues au loin, à la campagne. Elle aimait ce pont qui semblait si léger, étendu entre le ciel et le fleuve comme un corps heureux. Elle lui tourna le dos et examina son trois-et-demi, sa suite d'hôtel allongée, qui était dans un grand désordre. La routine quoi! Elle passa à nouveau la main dans ses cheveux et retourna au pont et à la ville, vibrant refrain moderne de métal et de lumières dans la nuit montante. Le crépuscule était son heure favorite, où elle pouvait jouir de cette vision changeante de la ville en train d'arranger son *look* de nuit. Mais, de se retrouver au milieu de débris de cigarettes et de verres vides, elle se sentit tout à coup très seule. Elle alluma quelques lampes et vit le courrier qui gisait sur la table de cuisine. Elle saisit une enveloppe contenant une invitation pour un vernissage rue Saint-Denis, à la galerie Aurore, le soir même. Elle connaissait l'endroit: un grand logement à l'étage, qui avait été converti en un espace agréable par la propriétaire, Anne, une de ses amies. On y présentait l'exposition d'une peintre assez connue qui ramenait du Tibet ses derniers travaux. «À l'encre de Chine, je suppose.» Mais cette réflexion ne la fit pas rire. Elle ne riait plus depuis longtemps. Et ce triste mois de novembre n'arrangeait rien, et cette séparation d'avec son amant non plus, évidemment. On n'efface pas douze ans de vie commune comme de la buée sur une vitre. Et, à Montréal, quand les feuilles d'automne ont plié bagage et sont parties avec toutes les couleurs du monde, il ne reste plus que du gris qui piétine à attendre l'invasion barbare de la neige à qui la pollution réglera son compte. Alors, ce vernissage pouvait être une échappatoire honorable pour sortir de l'appartement en débâcle. Elle tourna le dos au désordre et se réinstalla aux fenêtres pour se perdre dans le paysage urbain. Elle avait eu la chance inouïe de trouver cet espace, au quatorzième étage, qui faisait le coin sud-ouest de l'immeuble et lui offrait une vue privilégiée sur le fleuve et le centre-ville, et même sur le mont Royal qui, à cette heure-ci, commençait à se tapir dans l'ombre glacée de la croix qui s'allumait. Et elle pouvait descendre directement dans le métro sans avoir à sortir, ce qui était, dans ce rude climat, une bénédiction. Et, au deuxième, une piscine chauffée d'une grandeur olympique pouvait facilement donner l'illusion d'être ailleurs. Elle occupait cet appartement depuis cinq mois. Depuis... Elle ne voulait plus y penser. Une peine d'amour, on n'en guérit jamais. On s'en remet. C'est tout. Elle était en convalescence. Et l'année sabbatique tombait pile. L'Université de Montréal, où elle donnait des cours en histoire de l'art, la reverrait l'an prochain, en septembre. Mais tout ça semblait loin et elle en était soulagée. Ce soir, elle avait envie de sortir, de se frotter aux lumières de la ville; ce vernissage était le bienvenu. Elle relut le carton d'invitation. L'artiste avait retravaillé, dans son atelier du Vieux-Montréal, des dessins et des objets conçus au Tibet. Elle prit un verre et le remplit de vin rouge, puis s'arrêta devant la ville qui enfilait sa robe de star et elle sourit pour la première fois depuis longtemps. Ce soir, la vie donnait l'impression d'être belle. Elle porta un toast à son reflet, dans la vitre, qui semblait flotter sur les étoiles de la ville et, fermant les yeux, elle but une longue gorgée. Elle eut l'impression de voir les bulles rouges tomber dans sa gorge. Quand elle les réouvrit, le vin avait presque disparu. Elle alla s'en chercher d'autre. La soirée, après tout, ne faisait que commencer. Comme d'habitude.

En entrant dans la galerie d'art, elle aperçut plusieurs personnes entassées dans la pièce du devant, communément appelée autrefois le salon double. Elle bifurqua vers le corridor et ouvrit la porte de la salle de bains où, par chance, il n'y avait personne. Pendant que les rumeurs de la cohue cognaient contre la porte, elle retoucha son maquillage, se peigna en dégageant son front pour qu'on voie bien la lumière surprenante de ses yeux. Une fois satisfaite, elle sortit, prête à affronter le monde. Elle prit soin de saisir une coupe de vin rouge au passage et salua les connaissances, les ami(e)s. L'exposition n'était pas mal, mais sans plus. Le vin était bon. Le vin la consolait. La calmait. Elle en avait de plus en plus besoin. Elle se sentait loin, très loin de tous ces gens dont, pour plusieurs, elle connaissait les anecdotes qui font les vies. Loin comme ces dessins accrochés au mur, peints en un lointain pays. Pays qu'elle avait pourtant visité elle aussi. En allant vers l'arrière, c'est-à-dire vers la cuisine, il fallait traverser une grande pièce, qui en des temps plus anciens avait sans doute servi de salle à manger. L'exposition continuait là aussi, mais différemment. Sur les murs, d'autres dessins, mais par terre, de grands blocs de plexiglas contenant différentes sculptures étaient déposés et c'est là qu'elle le vit.

Une forme repliée sur elle-même, aux reflets noirs et lumineux comme si une énergie violette émanait d'elle, et ouverte comme si elle ne craignait pas de laisser voir la suprenante force enfouie dans ses rondeurs imperturbables qui la nourrissait, où au centre un bijou (une améthyste?) palpitait comme un œil de cyclope.

Elle en fut fascinée. Il s'imposa d'emblée à elle. Et elle chercha quel mot pouvait bien définir cet objet-là. Il portait un titre simpliste, voire moqueur: «objet d'art». Et suivaient, sorte de sous-titre en caractères plus petits, ces mots intrigants: vidéo de roman. Il était là, prisonnier de cette cage, comme un insecte étrange, une relique de l'ère paléozoïque. Un film d'images incongrues défila dans sa tête. Elle n'en revenait tout simplement pas. Elle restait là, comme accrochée à sa coupe, et le scrutait. Elle avait une envie irrésistible de le toucher, de le voir se lover dans le creux de sa main, de l'effleurer de sa joue.

Il n'y avait pas encore, à côté de lui, de point rouge. Et pour cause: le prix était exorbitant! L'objet, elle en était sûre, était conçu pour elle. Mais jamais elle n'aurait les fonds nécessaires pour se le payer, à moins d'oublier le voyage dans le Sud, mais cela était hors de question. Elle se trouvait confrontée, pensa-t-elle, à des problèmes de riche. Mais justement, elle ne l'était pas assez. Elle avait beau imaginer mille scénarios, l'objet restait hors de portée. Alors, en proie à une angoisse qu'elle jugea ridicule, elle veilla sur lui en retournant mille fois dans son cerveau des scénarios de conquête, c'est-à-dire que les mêmes chiffres brillaient dans des stratagèmes tous plus impossibles les uns que les autres. Elle restait là, à boire son vin qu'un serveur attentif remplissait avec un sourire de requin d'eau douce. Elle ne le voyait même pas. Seul l'objet comptait. Un objet pompeusement nommé «objet d'art».

Autour d'elle et de l'objet, les gens circulaient, bavardaient. Et plus ça riait et jacassait, plus il lui semblait impérieux de le soustraire à toute cette clinquante vulgarité. Elle se savait atteinte d'une folie subite, comme si elle avait été envoûtée par un sortilège. Elle observait les gens et n'en revenait pas de tant d'inconscience. Ce monde d'artistes, de critiques, d'écrivains était là à folâtrer comme si l'exposition faisait partie de l'apéro, des courses, des affaires courantes... Alors qu'elle restait profondément troublée, comme si elle était pour la première fois de sa vie, confrontée au sacré. Il fallait absolument qu'elle le possède! Car elle en était tombée follement amoureuse. Oui, «amoureuse» était le mot juste. Et lui, il restait là, dans son écrin, à l'évaluer, à la narguer, à la séduire.

Quand elle vit la propriétaire s'approcher avec au bout du doigt une tache rouge, elle eut un malaise. Comme si elle voyait la mort arriver. Elle se sentit au bord d'un grand malheur et seul l'objet, elle le savait maintenant, pouvait la sauver. Mais Anne lui adressa un sourire chaleureux et colla l'étiquette au bas d'un dessin insignifiant. Maintenant, elle comprenait: il lui fallait l'objet coûte que coûte. Et elle sombra dans sa contemplation. Le vernissage était une réussite. Et quiconque aurait porté la moindre attention à cette femme n'aurait vu qu'une séduisante jeune personne en train d'observer, d'étudier certains objets, là, dans une boîte transparente. Il n'aurait pu deviner qu'elle était ensorcelée. Mais elle, elle piaffait. Elle ne pouvait se libérer du joug de l'objet. Elle avait beau se traiter de folle, elle n'avait jamais vu quelque chose d'aussi beau, d'aussi inquiétant. Elle en était séduite jusqu'à l'âme. Elle le voyait dans ses moindres détails, dans ses moindres nuances, jusque dans les ombres de ses replis, de ses entrailles, jusque dans ses reflets les plus subtils, et cet œil, qui la regardait comme une étoile brûlante, jonchait, juste pour elle, l'horrible plexiglas. Il fallait qu'elle l'achète. C'était devenu une question de vie ou de mort. C'était aussi simple, aussi terrible que ça. Mais le prix! Elle avait peine à se décider.

Le serveur remplit son verre et lui adressa la parole: «Il fait chaud, n'est-ce pas?» Elle le regarda. D'abord elle ne le vit pas, puis elle aperçut des dents se préciser, blanches et droites, en un sourire de publicité pour pâte dentifrice. Elle essaya d'en faire autant. «Vous vous sentez bien?» Elle hocha la tête en signe d'affirmation. Du fond de l'enfance remonta alors cette image de l'ange rose, dans la crèche, qui remercie les fidèles quand les sous tombent dans la fente de son cou. Elle eut un fou rire, ce qui encouragea le jeune serveur à poursuivre: «Il y a tellement de monde, n'est-ce pas?» De sa main gauche, elle lui toucha le coude. Il frissonna. Elle ne s'en aperçut pas et réussit à lui marmonner qu'elle voulait voir Anne, immédiatement. Il répliqua — et elle put alors voir une langue se tordre en un humide point rouge prêt à se coller sur son front: «La propriétaire?» Elle hocha la tête à nouveau. Cérémonieusement, il s'inclina comme un valet dans un film muet et disparut. Mais tout ce monde n'en finissait pas d'aller et de venir. Elle fixa l'objet et se sentit mieux. Elle avait enfin pris sa décision.

Quand Anne se pointa, l'index à nouveau tatoué d'un cercle rouge, elle paniqua. Mais Anne l'apposa au bas d'un autre dessin, quelconque. Puis Anne vint vers elle. Elle était toute menue et son visage était comme séparé en deux. En haut, les yeux étaient tristes: en bas, le sourire était radieux. Alors on ne savait jamais si Anne était heureuse ou malheureuse. Ce qui faisait qu'on gardait toujours une certaine distance, un certain malaise quand on ne la connaissait pas vraiment. Elles échangèrent des banalités d'usage puis elle lui désigna l'objet. Anne rentra ses lèvres, contrariée. Un silence singulier s'ensuivit, que la foule autour mettait en exergue. Puis Anne, de sa voix rauque lui dit: «Bien entendu, tu ne peux pas savoir que c'est la première fois que l'artiste consent à le mettre en vente?» Bouleversée, elle regarda Anne. «Tu vois, elle n'a jamais voulu s'en défaire. Elle dit que c'est son porte-bonheur. Mais comme elle veut retourner au Tibet, cette fois pour très longtemps, elle a besoin d'amasser le plus d'argent possible. Mais je te l'avoue bien sincèrement, elle espérait que personne ne l'achèterait.» «Mais, je le veux.» Cette réplique, dite sèchement, cingla Anne qui leva la main gauche comme pour conjurer un mauvais sort. Pendant de longues secondes le silence engonça leur regard, puis finalement Anne s'en alla en lui disant: «Puisque tu y tiens, *alea jacta est.*» La phrase sembla menaçante. En tremblant, elle déposa sa coupe au-dessus de l'objet, sur le carré de plexiglas, puis fouilla dans son sac de cuir noir qu'elle portait en bandoulière. Elle avait mis une robe à col roulé, en laine noire, d'où s'échappaient de longues jambes finement aiguisées par des souliers pointus, noirs eux aussi, aux talons d'une hauteur vertigineuse. Elle trouva son carnet de chèques de la Caisse Populaire Saint-Louis-de-France. Elle vit le nom et l'adresse clignoter. Les mots semblaient s'éloigner puis se rapprocher, rapetisser et grandir, comme si le nom du saint passait successivement à travers ses yeux et à travers une loupe. Elle s'appuya légèrement et entendit un craquement: l'assemblage de plastique s'écroulait dans un tintamarre effrayant et elle roulait au milieu des débris, tenant, entre ses mains ensanglantées, l'objet tant convoité. Elle se remit d'aplomb. Elle avait peine à respirer. Elle secoua la tête comme pour chasser ces hallucinations. Anne réapparut et lui demanda: «Ça va?» Elle fit signe que oui. En guise d'excuse, elle désigna la foule tout autour. Mais Anne ne semblait pas convaincue. Elle réussit à trouver un stylo et remplit le chèque, en bonne et due forme, comme une automate. Elle émit une profonde respiration qui inquiéta Anne. «Ça peut attendre tu sais.» Elle la torpilla aussitôt d'un regard où se mêlaient la surprise et la peur. Anne, sidérée, refit ce geste de la main gauche qui semblait signifier cette fois: «Comme tu voudras!» Alors, Anne prit le chèque, la remercia et, le temps de le dire, marqua d'un point sanglant le *i* du vidéo, et disparut, happée par la foule bruyante. Elle était enfin seule avec lui, maintenant «son objet d'art». Enfin à elle! Si seulement elle avait eu le temps d'y toucher, mais Anne avait agi avec tellement de dextérité, de vitesse...«en cachette», songea-t-elle. Elle prit son verre. Comme par magie le serveur était là, toutes canines sorties. Elle lui sourit, cette fois pour vrai, soulagée. Il vola vers elle pour remplir sa coupe. Il était fasciné par sa beauté, par ses yeux de cette couleur incroyable. Mais ne se souciant absolument pas de lui, elle retourna à sa conversation privée avec l'objet, entrecoupée de moult toasts intimes. Elle but. Et elle but.

Quand elle s'aperçut que la foule s'était éclaircie elle envoya, en catimini, un baiser à l'objet qui sembla lui faire un clin d'œil retentissant. Elle sursauta. Elle vida son verre. Elle n'eut aucune peine à se rendre jusqu'au portique où l'attendait le serveur. Il l'aida à enfiler son ample manteau de drap noir acheté à la boutique Parachute de Soho à New York. Il lui dit des insanités qu'elle avait entendues des milliers de fois. Anne la remercia à nouveau et lui dit que l'artiste aimerait la voir. Mais elle rétorqua qu'elle était trop fatiguée et qu'elle lui parlerait une autre fois. Elle aurait aimé amener l'objet avec elle, mais elle connaissait les règles du jeu: une fois l'exposition terminée, elle pourrait le récupérer, pas avant. Mais comme elle l'aurait voulu tout de suite! Elle garda ce désir secret. À contrecœur, elle descendit les marches. Anne, songeuse, la regarda partir. Une fois dehors, le vent froid la gifla brutalement. À côté, l'Express était bondé, comme à l'accoutumée. Elle y entra, et put prendre par miracle la place d'un client qui réglait son addition. Elle commanda du vin rouge, une bavette cuite à point et les frites qu'elle adorait. Elle mangea et but avec appétit. Tout allait comme dans le meilleur des mondes. Elle venait de sacrifier son voyage dans les Antilles pour un objet qui peut-être n'en valait pas la peine. «*So what!*», se répéta-t-elle. Elle avait bien sacrifié douze ans de sa vie, immolé sa jeunesse, pour quelqu'un qui n'en valait pas la peine, alors où était le drame? Elle but. Elle refit deux fois son maquillage dans les toilettes. Ses yeux chatoyaient dans le miroir comme des lunes sur le Nil. Elle se savait de plus en plus soûle et, en même temps, de plus en plus lucide. Elle se dédoublait, s'analysait et s'étonnait d'elle-même. Dehors, la poudrerie commençait.

Elle paya avec sa carte American Express et sortit. Le vent maintenant fouettait la nuit sans pudeur. Elle traversa la rue et s'engouffra un peu plus haut dans un bar qu'elle aimait bien et dont un de ses amis, Julien, avait trouvé le nom: le Passeport. C'était archiplein. Les décibels secouaient la place. Elle laissa son manteau au vestiaire, et se dirigea vers le bar du fond. Colette, sa barmaid préférée, l'accueillit en levant les bras en l'air et en lui disant qu'elle paraissait en superforme. Elle lui demanda, comme d'ordinaire, du rouge. Colette lui suggéra du vin nouveau, ce qui lui parut une excellente idée. Elle but et le reste de l'univers se perdit peu à peu dans un flou aux couleurs délavées que transperçait par intermittence l'œil violet de «l'objet d'art». Quand elle se sentait trop dériver, elle allait sur la piste de danse et virevoltait comme une plume arrachée sous les étoiles artificielles. Elle passa ainsi le reste de la soirée à boire et à danser. Puis, Colette l'invita à aller dans un endroit où l'on servait illégalement de l'alcool après les heures de fermeture, mais elle refusa. Elle voulait rester seule pour mieux rêver à lui, à «l'objet d'art».

Elle ressortit pour se retrouver sur le trottoir métamorphosé en une peau de zèbre tourmentée et glaciale où aucun taxi n'attendait. Elle releva le col de son manteau pour défier la tempête. Elle n'avait pas d'autre choix. Elle retraversa la rue et passa devant la galerie Aurore. Toutes les fenêtres étaient noires. Mais elle savait que derrière, au fond d'un sarcophage vitreux, un œil mystérieux brillait. L'Express était fermé. Seules quelques pâles lumières veillaient sur les fantômes de la soirée. En face, l'entrée du nouveau Théâtre d'Aujourd'hui avait l'air d'un aquarium vide. Mais le vent froid et la poudrerie l'empêchèrent de s'arrêter. Elle ferma les yeux et songea que maintenant elle avait son talisman. Rendue devant le fleuriste Marcel Proulx, elle s'agrippa à un petit arbre squelettique, gracieuseté de la ville de Montréal. La vitrine du fleuriste, où s'étalaient des fleurs magnifiques aux coloris séduisants, lui rappela méchamment qu'elle venait de sacrifier son voyage vers leurs contrées chéries, et chaque pétale d'un hibiscus écarlate sembla lui adresser un reproche sanguinolent. Puis, au coin de la rue Roy, elle vit poindre un taxi au bout de la rue Berri. Mais il tourna à droite, passa entre l'église Saint-Louis-de-France et la Caisse Populaire où aboutirait dans quelques heures un chèque faramineux signé de son nom, et il s'éclipsa au bout de Roy où, sur une petite place déprimante, gisent des chaises dont personne ne sait que faire. Le taxi allait sans doute emprunter la rue Saint-André pour répondre à l'appel d'une personne impatiente de partir en voyage, et dont l'avion décolle au petit matin pour un pays ensoleillé. Elle se vit comme Alice au pays des merveilles à la croisée des chemins: ou tourner à gauche et affronter le vent diabolique qui, comme dans une chasse-galerie, chialait et jurait, empalé au clocher de l'église, ou continuer tout droit et essayer par la suite de se faufiler devant la maison dite «des sourds et muets» où était mort Louis Fréchette, le poète de *La légende d'un peuple*. Elle opta pour ce dernier trajet. La neige lui coulait dans le cou et son foulard mouillé ne servait plus à grand-chose. Ses souliers à talons hauts sortaient d'un cauchemar intégral. Le froid lui serrait les chevilles et menaçait de la clouer à même les interstices du trottoir qu'elle devinait à travers ses larmes. Quand elle était petite, et qu'elle jouait à la marelle, elle gagnait à coup sûr le paradis, mais maintenant, son ange gardien l'avait abandonnée dans cet enfer blanc où elle dérivait comme une aile brisée. Elle maudit ce pays au climat barbare et seule l'encouragea l'idée de jouir de ce spectacle, une fois installée dans la chaleur de l'appartement, même si de puissantes bourrasques l'assaillaient de toutes parts. Rendue devant le café Cherrier, déserté lui aussi, elle put respirer. En face, les arbres du carré Saint-Louis gémissaient comme des fantômes d'opéra. Médusée, elle s'arrêta pour écouter ces plaintes saisissantes, puis elle repartit de plus belle. Encore une centaine de mètres et ça y était. Elle aurait voulu piquer vers le building recouvert de tôles grises, le plus laid de la ville, où siégeait l'Institut d'hôtellerie, échoué là bêtement comme un sosie minable du Dark Vador de *La guerre des étoiles,* mais elle savait qu'à cette heure-là les portes du métro étaient verrouillées. Donc, il n'y avait pas moyen de prendre le tunnel qui reliait les sorties ouest et est de la station Sherbrooke pour ainsi profiter de ce bras souterrain et entrer directement dans son building. Elle s'enhardit à franchir le triple tronçon de l'artère Berri. Sous le viaduc, le vent lui fonça dessus en hurlant comme un maniaque et la rattrapa. Il l'étouffait lentement comme une pieuvre cruelle sortie des abysses de la ville. Mais de se savoir si près de chez elle lui redonna des forces. Elle se jeta littéralement en avant. Elle perdit conscience du temps et finit par se retrouver sous la marquise de son immeuble injustement baptisé place du Cercle. Elle s'engouffra dans le portique en faux marbre beige et se cala contre la porte. L'odyssée venait enfin de se terminer. En tremblotant, elle tira les clefs de son sac et réussit à ouvrir l'autre porte d'entrée. Ses doigts gelés semblaient un refuge pour toutes les aiguilles du monde. L'ascenseur l'attendait. Elle parvint à appuyer sur le chiffre quatorze. Comme au ralenti la cage se referma. Elle arriva au bon étage et prit une autre clef pour déverrouiller la porte du 1404. Elle fut accueillie par le magnifique spectacle de la tempête qui se déroulait sur l'écran des fenêtres. Elle resta un moment éberluée de comprendre qu'elle venait de traverser cette tourmente-là. Elle se laissa tomber dans un fauteuil. Puis elle commença à retirer ses vêtements. Elle se brossa vigoureusement les dents, se démaquilla en catastrophe. Le vent brassait les fenêtres. Les lumières de la ville vacillaient comme des phares en folie. «La première tempête de neige, à Montréal, est toujours fascinante», murmura-t-elle avant de sombrer dans le lac calme de ses draps roses. Mais elle rêva à d'immenses sculptures de glace, noircies par des tourbillons de fumée qui entouraient un cratère rougeoyant au centre duquel palpitait un iris violet qui l'aspira.

Elle se réveilla en fin d'avant-midi, mal en point, la tête lourde, le cœur sur pilotis. Elle avala deux aspirines et se recoucha. Par les fenêtres, elle était agressée par un ciel d'un bleu vif, saupoudré d'une légère neige que le vent ballottait dans des torrents d'air glacial, pendant que les buildings de la ville perçaient le ciel de leurs scalpels miroitants. En tremblant elle alluma une cigarette et, en même temps, la radio. C'était l'heure des informations régionales, à Radio-Canada. Quand l'annonceur parla d'un sinistre sur le Plateau Mont-Royal ayant nécessité à l'aube trois alertes, elle cessa de fumer. Il donna l'adresse du triplex qui abritait deux logements occupés et une galerie d'art. Personne n'avait perdu la vie mais les dommages étaient considérables. La possibilité d'un incendie criminel n'était pas écartée. Le bulletin de la météo suivait: «Un ciel dégagé pour aujourd'hui et cette nuit, mais du temps froid. Il fait présentement moins deux degrés à Dorval. Ce qui est un peu en-dessous de la normale... Au signal sonore, il sera midi.» Même la radio fermée, ce son lancinant continua d'allonger dans sa tête une ligne noire comme une épitaphe sans mots. Elle pleurait.

ROBERT BAILLIE

Le promeneur de poissons

L'été s'annonce toujours pourri. Le beau Gilles accompagne son père à la pêche durant les week-ends. Le reste de la semaine, il préfère se promener avec Maryse, dans le quartier. Je reste seul à attendre des événements qui ne se produisent pas.

Madame Josette est tombée de son balcon. Toute la ruelle s'est retrouvée dans la cour. Les curieux n'ont pas aidé le père de Gilles à porter la lourde femme. Certains proclamaient haut et fort qu'il ne fallait pas la bouger. On craignait qu'elle se soit empalée sur un tuteur. Le père de Gilles en avait installé une douzaine pour soutenir les plants de tomates qu'il fait pousser chaque été dans un carré de soleil.

La mère de Maryse accrochait son linge à sa corde comme elle en a l'habitude. Les lundis matin, elle fait sa lessive. Toutes les femmes de la rue Des Carrières font de même. La poulie s'est coincée. Madame Josette s'est appuyée de tout son poids sur le bras de la galerie. Il a cédé. Elle a plongé dans la lessive de maman qui séchait un peu plus bas. Si elle n'avait pas été retenue dans sa chute, elle serait morte en atterrissant parmi les plants de tomates. Madame Josette est tombée dans nos draps. Et sa fille se promène avec le beau Gilles pour me narguer.

La moto mène un train d'enfer quand ils partent. Le vrombissement monte au-dessus de la cour. Je ne puis pas fermer ma fenêtre. Le père de Gilles a repeint les tablettes des châssis, les chambranles, les persiennes et les galeries. Entre ses parties de pêche et son jardinage, il s'occupe à reconstruire les escaliers extérieurs ainsi que le bras de la galerie chez madame Josette. J'ai refusé le contrat qu'il m'a proposé. Maman était indignée.

J'ai vendu trois brochets, un doré, deux anguilles. Des barbotes nagent encore dans la baignoire. Maman insiste pour que j'aille au marché Jean-Talon tous les jours. Les Italiens n'apprécient pas ces bestioles gluantes. La plupart du temps je reste pris avec elles dans le fond de ma brouette. Je ne peux plus m'en défaire ni me résoudre à les tuer, les manger ou les jeter.

Les barbotes ne saignent pas beaucoup. Mal mortes, elles se promènent sur l'établi du hangar. Leurs têtes tranchées vous mordent parfois les doigts. Maman refuse de les vider. Elles ont la vie dure. Le père de Gilles m'en rapporte toujours trop, à mon goût.

Si j'osais, je réussirais parfois à en refiler à madame Josette. Maryse est allergique aux poissons, mais sa mère a des absences, des trous de mémoire. Madame Josette était déjà partiellement amnésique avant sa récente chute du troisième dans la cour. Elle a souvent perdu l'équilibre dans sa vie. Maryse est née à l'occasion d'un fâcheux accident qui aurait pu leur être fatal.

Maman n'est pas ma mère. Je suis un enfant adopté. La peinture fraîche provoque chez moi des nausées qu'elle suspecte au même titre que les vertiges qui m'empêchent de monter dans l'échelle. Je ne suis plus un enfant. Mon commerce de poissons n'est pas des plus florissants. Ne possédant pas de permis, il m'est impossible d'installer une échoppe au marché Jean-Talon. Je promène mon poisson dans les allées. Je tente aussi de le vendre à la criée dans les ruelles. Quatre à cinq kilomètres séparent le marché Jean-Talon de la rue Des Carrières. Le beau Gilles m'escorte parfois en faisant hurler son engin. Je ne parviens pas à dominer son tintamarre. Je m'égosille en vain. Je ne vends rien. Je promène mon poisson en pure perte et Maryse s'en amuse. Madame Josette ne se rend pas compte à quel point sa fille est cruelle avec moi.

Maman m'a expliqué comment se forme un œdème sur les parois de la gorge. Aussitôt qu'une bouchée de poisson a franchi l'œsophage, la personne allergique suffoque instantanément. La victime doit alors s'injecter un médicament à l'aide d'une seringue. Madame Josette égare souvent les ampoules et la seringue de Maryse.

Le poisson que madame Josette fait cuire par mégarde est parfois dissimulé dans des pâtés ou sous des croûtes dont elle ignore les recettes. Je ne pourrais pas lui vendre mon poisson toutes les semaines. J'écoulerais bien une barbote par-ci, par-là. Leur chair est d'un rouge vif, si vif qu'on dirait de la viande. Madame Josette s'approvisionne ailleurs. J'ai beau me défendre et jurer que je ne suis pas le marchand qui confond madame Josette, maman et le père de Gilles demeurent sur leurs gardes, me surveillent de près.

Madame Josette et Maryse ont maintes fois frôlé la catastrophe. Nous devenons habitués aux calamités qui les guettent. Chaque saison leur procure des occasions de dangers incontrôlables.

Un beau matin d'hiver, les érables de la rue Des Carrières resssemblaient à des rideaux de verroteries. Des rideaux comme on en trouve aux portes des charcutiers du marché Jean-Talon. On empêche ainsi les mouches d'entrer ou de sortir de ces établissements. Ce matin-là, il n'y avait aucun insecte dans l'air glacial de la rue Des Carrières. On était en janvier. Il avait plu la veille. Arbres, fils et luminaires s'étaient figés en glace pendant la nuit. Le vent s'est élevé. Les coulées de verglas ont soudain éclaté en millions de paillettes. Une poudre fine s'est répandue dans la rue, sur les trottoirs et dans les escaliers.

Madame Josette a été la première à sortir de chez elle. Elle a tenté de se retenir au fer forgé de la rampe, mais son corps s'est engagé avec trop de violence. Elle s'est retrouvée gisant sur la chaîne du trottoir. Quand le père de Gilles est sorti pour la secourir, il est tombé par-dessus elle. On se serait cru au cirque. Tout le monde a bien ri. Par la suite, on s'est aperçu que l'annulaire gauche de madame Josette était resté accroché à une rosette de la rampe. Maman a eu la présence d'esprit de le mettre dans un sac de plastique, avec des glaçons de verglas. À l'hôpital, on le lui a recousu. Le père de Gilles s'était déplacé un disque. Depuis, monter dans une échelle lui est strictement interdit. Il grimpe quand même jusqu'à nos fenêtres pour en repeindre les châssis, durant l'été.

Les quartiers de Montréal suffoquent dans la canicule. La glace dans mes seaux fond à mesure que j'avance. Quand j'arrive au marché Jean-Talon, mes poissons nagent dans un reste d'eau. J'ai laissé ma trace liquide, à l'ombre, dans toutes les ruelles que j'ai empruntées. L'odeur du poisson ne m'incommode en rien. La peinture fraîche que le père de Gilles applique couche par-dessus couche pendant des semaines m'empêche de dormir. J'en ai perdu l'appétit.

Maryse et le beau Gilles ont foncé dans ma brouette qui s'est renversée sur les derniers plants de tomates épargnés par la chute de madame Josette. Maman a tenté de les rattacher à leurs tuteurs, mais ils pendent en lambeaux.

Le père de Gilles sera furieux contre moi. À cause des exhalaisons qui incommodent Maryse, il me défend de garer ma brouette dans la cour.

Maman est inquiète. Je le sais. Toute la nuit, je me suis enfermé dans la salle de bains. Ne parvenant ni à dormir ni à manger, j'ai voulu me distraire en taquinant dans la baignoire les derniers poissons que le père de Gilles m'a rapportés. Il a été formel. Je ne profiterai plus jamais du fruit de sa pêche. Il me punit ainsi d'avoir ruiné sa récolte annuelle de tomates. Maman a eu beau intercéder pour moi, rien n'y a fait. Je n'ai pas réagi. Maman me croit menacé par une dépression nerveuse. Elle insiste pour que je me mette à la peinture des escaliers. Je vomis en secret. J'ai caché l'échelle du père de Gilles dans une cour voisine.

Maman menace de trépasser dans son sommeil. Son chantage ne m'atteint pas. Madame Josette a bien failli mourir elle aussi quand elle a accouché de Maryse. Elle s'était tordu la cheville au marché Jean-Talon. Elle achevait son neuvième mois. Des marchands l'ont transportée dans une poissonnerie portugaise. C'est là-bas que Maryse est née. Le père de Gilles s'est occupé de sa locataire et du bébé parce que le géniteur ne s'est jamais manifesté.

Moi non plus je n'ai pas connu mon père. Ni le vrai ni l'autre. J'aurais tant aimé l'accompagner à la pêche. Je n'ai jamais vu un vrai lac, une vraie rivière et encore moins la mer. Le fleuve Saint-Laurent est trop pollué pour qu'on y prenne du poisson comestible. Le beau Gilles a refusé d'aller à la pêche aujourd'hui. Je ne le comprends pas. J'ai promené mon poisson dans les ruelles pour la dernière fois.

J'aurais pu tout écouler. Maryse et le beau Gilles ne m'ont pas importuné. J'ai entendu leur engin démarrer aux petites heures du jour. Les samedis de juillet font mes meilleures recettes. J'ai tout de même ramené une barbote avec moi. À l'insu de maman, je l'ai replongée dans la baignoire. J'ai joué avec la bête jusqu'à ce qu'elle se retrouve le ventre flottant à la surface de l'eau. Elle a nagé de longues minutes sur le flan gauche, puis sur le droit, avant de se mettre à rouler sur elle-même. Puis elle s'est immobilisée tout à fait avec ses deux nageoires dorsales ouvertes en éventail. J'en parle sans émotion apparente, mais sur le coup j'ai ressenti un grand trouble intérieur.

Je ne me souviens plus d'être sorti de la maison. Il faisait nuit et la moto du beau Gilles n'était pas encore rentrée. J'ai dû les attendre longtemps. Maman m'a retrouvé endormi dans ma brouette. J'empestais. J'avais rendu de la bile. Je n'ai pas osé lui demander ce qu'elle avait fait avec le poisson mort. Elle m'a enfermé dans ma chambre.

Madame Josette a convaincu maman de me laisser sortir. J'étais très faible. En descendant, j'ai dû me retenir aux deux rampes de l'escalier de fer. Tout flageolant, je me suis rendu à l'hôpital. Quand j'ai voulu me rapprocher un peu des draps sous lesquels le corps de Maryse reposait, je me suis rendu compte que j'avais les deux paumes enduites de peinture noire. Je n'éprouvais aucune nausée. Maryse m'a souri avec toute sa tendresse. J'ai pensé qu'elle me confondait avec un autre. La tente d'oxygène bougeait au rythme de sa respiration.

Lorsque l'automne s'installe, le poisson ne mord plus. Sa moto démolie, le beau Gilles partira à la chasse avec son père. Je ne suis pas de ceux qui promèneront des trophées d'orignaux dans les rues du quartier.

NOËL AUDET

Tour d'enfants

— Drôle de monde!

Ce constat philosophique sortait de la bouche de Dédé Lamproix, haut comme trois pommes mais déjà fort en gueule. Après tout, il avait dix ans et neuf mois bien sonnés, c'est-à-dire dix années franches à l'air libre, et il pouvait se permettre de donner son avis sur le journal télévisé de Radio-Canada. Assez de ces massacres ridicules, de ces décisions politiques inspirées par la vanité des politiciens, l'intérêt de leurs amis, le profit de leur carrière.

Dédé était juché sur la table, debout pour mieux voir tout le monde, et il haranguait la foule des enfants venus l'entendre. Il y avait de l'aile dans l'air, ça sentait le jardin d'enfance.

— On n'aura jamais assez d'appartements pour tout le monde! constata Maude devant l'enthousiasme des chérubins massés dans la petite pièce.

— Bof! on fera de la place.

L'idée était venue de l'un de ces millionnaires originaux, oui oui, je sais, mais ils ont parfois des idées autres qu'économiques. Monsieur Victor Desman avait donc, en mourant, légué sa fortune à une société à but non lucratif — parce que le lucratif, il en avait soupé —, dont la mission consistait à établir une fois pour toutes le gouvernement de l'avenir, c'est-à-dire celui des enfants pour les enfants. Le monde voguerait enfin sur une onde de paix, de bonheur, d'innocence, jusqu'à la fin des temps. On commencerait par acheter une tour, on la livrerait aux enfants, qui achèteraient d'autres tours, — les communications d'abord; c'est là que ça se passe —, et ils finiraient, les mioches, par élire le maire, les ministres, le Premier ministre, et l'affaire était dans le sac, foi de Desman!

Mais, dans son plan de transformation du monde, monsieur Desman n'avait pas prévu le grain de sable qui allait faire dérailler sa mécanique: la précocité foudroyante de Dédé Lamproix. Il y a moutard et moutard et demi!

Celui-ci n'avait eu aucune difficulté à se faire élire Roi de la Tour, sise à l'angle des rues Maisonneuve et de la Montagne. Il avait bouché un de ses adversaires politiques en invoquant son âge propre, considéré comme la première des vertus. L'autre allait avoir quatorze ans, ce qui le mettait au bord du trottoir et lui enlevait une grande partie de sa crédibilité. Il faut dire que, lorsqu'ils atteignaient quinze ans et des poussières, l'âge critique, on les jetait *manu militari* à la rue — entendez dans le monde adulte — où ils devraient jouer du coude comme tous les autres et cesseraient dès lors d'être intéressants. Plus on est jeune, plus on a raison! C'était la devise du parti. Dédé Lamproix l'emporta haut la main.

De sa vue imprenable, au dernier étage, Dédé voyait les tours de la BN et de Bell, la tour de la place Ville-Marie, la tour des Coopérants tout près de la sienne, la tour austère et mystérieuse de la Bourse, la tour de Lavalin qui fondait à vue d'œil — ah! celle-là commençait à avoir du charme! — et même, au loin, égarée dans l'est, la tour de Radio-Canada sur laquelle il avait des vues... en vue de réorienter la programmation. Dédé ne connaissait de Montréal que ses tours, et il jonglait avec.

Le soir de son intronisation, il avait décidé de mettre à l'épreuve la tour de Radio-Canada et avait infligé à son auditoire l'écoute intégrale de toutes les émissions, réclames incluses, parfait échantillon d'une soirée pépère. À huit heures, on bâillait devant des histoires qui n'en finissaient plus d'accoucher; à neuf heures, on commençait à se pincer et à faire des galipettes pour tenir le coup; à dix heures — pardon à vingt-deux heures — on se bousculait en tout sens, pour rester en vie, en oubliant de regarder l'objet ridicule, muni d'un écran, qui débitait des horreurs sur le ton de la bonne nouvelle.

Dédé avait du flair politique. Il sut tout de suite dans quel sens fouetter ses troupes.

— Bouchez-vous les oreilles! cria-t-il, demain on inventera les nouvelles.

Devant l'enthousiasme général, il comprit qu'il avait misé juste.

Il y eut toutefois une voix discordante, rien qu'une, mais elle gênait la totale unanimité. Dans son coin d'ombre, une voix chevrotante suppliait qu'on se taise un peu, il souhaitait humblement, et modérément, prendre connaissance des nouvelles de ce monde.

Il fit d'abord rire, des paquets de rires qui le giflaient côté gauche, côté droit, aller et retour, il était habitué, il n'allait pas se formaliser pour si peu, il les comprenait ces chers anges, si vieillesse pouvait! et l'incident eût été clos si le roi Dédé n'avait décidé de faire un exemple.

Car celui qui venait de parler avait eu l'étrange audace d'exprimer un avis discordant, c'était le début de la désunion, l'origine des guerres, la zizanie, bref, monsieur Legal, qui habitait l'appartement 638 et qu'on avait oublié là sans doute parce qu'il était trop sourd pour entendre la sonnerie de la porte, ce monsieur Legal devait sortir, pour ne pas contaminer le groupe.

On fit silence. Seule la télé continuait de débiter ses sornettes qui parurent un viol de l'espace sonore. Sonia aussi avait des réflexes, elle bondit vers la petite boîte ennuyeuse et poussa le bouton pour la faire taire enfin. La voix de Dédé put résonner comme mille piaillements dans la salle. On allait jeter le vieux Legal dehors, puisqu'il encombrait la Tour.

Alors une seconde voix se fit entendre, avant même que les petites mains ne s'emparent du premier importun. Perdu parmi la foule d'enfants, un vieux grand avait passé sa soirée à tenter de rapetisser pour passer inaperçu, mais sa voix grave le trahissait.

— Où sont les toilettes? demandait la voix.

C'était une vieille chose, encore plus décatie que la première, qui avait d'abord regardé les enfants d'un œil de fouine admirative, puis d'un œil froid de poisson rouge, puis enfin d'un œil de biche effarée. Cent petits bras furieux s'emparèrent alors du vieux débris, le soulevèrent au-dessus des têtes et le promenèrent un moment sur cette étrange vague blanche, pendant que les bouches hurlaient de plaisir et mettaient en garde: «Faut pas l'échapper, et hop, et hop!» À ce nouveau jeu, ils étaient tous gagnants. De houle en houle, le vieux débris fut acheminé vers sa destination. On le précipita tête première dans la salle de bains avant qu'il n'ait pu savoir si on le portait en triomphe ou si on le menait à l'abattoir.

Dédé perdait le contrôle de sa réunion. Il avait beau trépigner sur la table, lever un bras de chef, montrer le poing, on ne l'entendait plus dans cet ouragan de rires qui brassait les têtes et envolait les corps trop souples en tous sens.

À ce moment précis, le petit Luc, de chez Le Nôtre, eut une idée sublime: si on leur faisait passer le test?

— Le test! Le test!

Le mot «test», un mot magique, se mit à circuler en laissant derrière lui un silence religieux.

— Le test du gâteau?

— Celui du touche-pipi?

— Non, qu'est-ce que tu penses? Pouah!

— Celui de la bibliothèque?

— La bi-bli-o-thèque, la bi-bli-o-thèque!

On accédait à la bibliothèque en teck par un tunnel si étroit qu'il fallait y engager une épaule d'abord et s'abstenir de respirer jusqu'à ce que l'on débouche dans une salle basse, encombrée de livres d'enfants, où les étagères ne dépassaient pas trente centimètres de hauteur. Monsieur Legal y fut poussé, forcé, coincé, tiré par la tête, acceptant à reculons cette renaissance, et il aperçut enfin la lumière de l'antre du savoir. Pour atteindre les livres, il dut se mettre à genoux et se plier encore. On lui laissait une heure pour produire une page digeste qui résumerait tous les livres, à défaut de quoi il serait expulsé de la Tour. Au bout de dix minutes, monsieur Legal comprit que tous les derniers prix avaient été remportés par des œuvres qui faisaient semblablement l'éloge de la naïveté et des raccourcis logiques. Il se mit à la tâche.

Pendant ce temps, le Vieux Débris méditait dans la salle de bains. Il avait mouillé sa culotte et comprenait qu'on ne le lui pardonnerait pas à son âge; à six ans peut-être, pas à soixante-dix. Il se demandait ce qui avait achoppé dans son programme, pourquoi sa vie si productive jusque-là était venue soudain s'étrangler dans les combles de cette tour. Il n'osait plus sortir de sa cachette.

L'heure, à la minute près, du test bibliothéconomique avait sonné. Monsieur Legal présenta son résumé d'une page. Cris d'indignation, reproches: le bonhomme avait employé des mots que l'auditoire ne comprenait pas, des mots qui n'existaient donc pas, et il avait poussé l'outrecuidance jusqu'à écrire qu'on était bien loin des «Mille et une nuits» et des «petits princes». Qu'est-ce à dire? glapit Dédé, qui se sentit ridiculisé dans son titre même. Monsieur Legal fut recalé. Il allait être expulsé de la Tour sur-le-champ, sans ses affaires, qu'on lui balancerait par les fenêtres une autre fois.

— Mais les fenêtres ne s'ouvrent pas, crut-il bon de préciser.

— On les cassera!

La garde personnelle de Dédé, composée de quatre petits hommes, accompagna Legal jusque sur le trottoir, exigea qu'il remît ses clés et referma la porte. La garde reprit l'ascenseur jusqu'au trente-neuvième étage en se plaignant que ça n'aille pas plus vite, vite comme la pensée, ou comme le saut d'une image à l'autre dans les bandes dessinées. Il allait falloir repenser cet engin.

Quand ils prirent pied dans l'appartement du chef, sous les toits, ils comprirent qu'il y avait eu une consigne du silence et que tous les regards étaient tournés vers la porte des toilettes, d'où surgirait bien un jour le Vieux Débris. Celui-là attisait particulièrement leur haine parce qu'il s'était manifesté en second lieu, on pouvait tolérer une exception mais là, ça frisait la manie, ça ressemblait à de l'envahissement! C'était leur tour après tout!

Quand le Vieux Débris eut fini de méditer, qu'il eut achevé sa toilette, il déverrouilla la porte et quinze petites têtes dont les bras s'étaient mués en tentacules se ruèrent dans la pièce pour le tirer de là. Le bal était reparti.

— Le test du ballon!

— Le test du ballon!

Ils te me le ficelèrent en un tournemain, «C'est moi qui ...» allait-il expliquer, ils te le bâillonnèrent, petites mains, petits cris, rires comme des roucoulades dans un nichoir, Dédé battant des bras à la manière d'un mauvais chef d'orchestre qui a du mal à suivre sa musique. Puis ils lui passèrent une corde sous les bras, en se bouchant le nez parce qu'il était mouillé, le chnoque, puis il fixèrent le ballon à la corde, un beau ballon gonflé à l'hélium. Ils attendirent un instant dans l'espoir de voir Vieux Débris s'envoler.

Puis en criant: un deux trois, prêt pas prêt j'y vas! ils balancèrent Vieux Débris par la fenêtre, sans l'ouvrir. Tiens tiens! Il ne flotte pas, il ne sait même pas voler!

— Il est trop gros!

— Il est trop lourd!

— Il est trop laid!

— Il est trop vieux!

Vieux Débris s'écrasa au pied de la Tour. L'autopsie révéla qu'il s'agissait du millionnaire Victor Desman qui avait d'abord fait une fausse sortie dans le but de venir ensuite contempler, incognito, la réussite de son projet de gouvernement.

DANIEL GAGNON

La route des Indes

À la station de métro Guy, la jeune fille me montra Montréal sur la carte: «Montréal a l'air d'un gros caillou dans le fleuve, Montréal me dégoûte, j'ai envie de fuir...»

Elle chantait:

Adieu Ville-Marie
Ma jupe est trempée
et j'ai du sable dans mes souliers
Entre La Baie et Eaton
Je n'ai pas trouvé la route des Indes

— Monsieur, s'il vous plaît...

Je ne voulais pas montrer trop de mauvaise volonté et je fouillai dans ma poche de pantalon pour en ressortir de la monnaie et une liasse de dollars justement puisée, tout à l'heure, au guichet automatique Desjardins, rue Sainte-Catherine.

J'avais envie de dire à la jeune fille: «Pourquoi ne pas vous contenter de marcher tranquillement dehors, il fait beau, c'est l'été des Indiens... Êtes-vous orpheline? Qu'est-ce qui vous rend si malheureuse?»

La jeune demoiselle, tout habillée de noir, me faisait pitié dans sa chemise de l'armée, trop grande pour elle. Elle portait dessous un collant sexy, troué aux genoux comme il se devait, pour rire à la face même de la pauvreté, en ces temps de disette.

Elle me prit le bras.

Nous montâmes les marches vers les téléphones publics et, en passant devant la cabine à photographier automatiquement, elle voulut que nous nous asseyions ensemble sur le tabouret et que nous nous prêtions au jeu. Elle glissa dans la fente les trois dollars que je lui donnai et, assise sur moi, elle se mit à rire et à faire des singeries et des mimiques.

Quand les photographies parurent, je me reconnus: j'avais cette allure rigide et guindée de l'homme de cinquante ans, quidam vieilli et déçu dont la tête morne et chauve contrastait douloureusement avec la gaieté enjouée de la jeune fille. Même jouée, sa joie éclatait, et le plus malheureux des deux n'était sans doute pas cette enfant perdue... Sur la photo, elle avait l'air d'une... J'eus tout à coup la cruelle certitude (j'en avais eu le soupçon dès le premier regard) que la jeune fille ne devait pas refuser de vendre son corps, de temps à autre ou même assez régulièrment, pour se payer un peu de liberté et de survie.

— Tout pourrait être plus simple, si tu décidais, grand-papa, de venir avec moi, me dit la jeune fille sans sourciller, et me reprenant le bras le plus courtoisement du monde...

Je la regardai. Elle ne devait pas avoir plus de quinze ans. Je ne savais trop ce qui me retenait auprès d'elle; sa beauté, certainement, me touchait jusqu'au plus profond de l'âme; sa pauvreté, sa solitude et même son effronté courage me bouleversaient.

Je devais rentrer à la maison, dans l'ouest de la ville. Janvière, ma femme, m'attendait comme à chaque jeudi, après les trois heures de cours de méditation que je donnais à l'université McGill, à une vingtaine d'étudiantes toutes beaucoup trop jolies pour moi.

J'étais hanté par le démon du midi et mes étudiantes, fort coquettes, me troublaient. J'étais cependant beaucoup trop timide, et j'avais beaucoup trop de principes, pour oser quoi que ce soit. Je me convainquais que mon travail était toute ma vie et, même quand Janvière était cruelle avec moi, je résistais aux tentations. Je ne pouvais cependant pas m'empêcher de flâner après mes cours, d'errer dans le métro, de quasiment jalouser les clochards et les robineux. Je ne pouvais pas me retenir de rêver de partir subitement, sans laisser de traces.

J'étais extrêmement tenté par l'aventure et la présence fanfaronne de la jeune fille réveillait en moi le goût de l'imprudence et de la sauvagerie. Tout faire sauter, adieu Montréal!

— Comment vous appelez-vous? *Come vi chiamate*? avais-je eu l'envie stupide de lui demander.

Pourquoi ne pas lui présenter un formulaire? Au lieu de lui répondre, j'enquêtais, je cherchais de l'information statistique. Au lieu de jouir de la poésie du petit ange descendu du ciel, je le questionnais, je le ramenais sur terre et voulais l'enfermer dans les structures mentales qui, précisément, me tuaient.

— Je m'appelle Justine, me dit-elle comme si elle avait deviné ma pensée de vieux grincheux.

Elle lisait dans mon âme, son regard perçait ma vieille carapace. Et j'étais flatté de découvrir qu'elle réveillait en moi l'enfant, l'enfant heureux que j'avais été il y avait bien un siècle de cela.

Je traînais toujours beaucoup de billets de banque dans ma poche, parce que l'argent n'avait aucune importance pour moi; je ne savais jamais combien exactement j'en avais.

Et puis, j'étais porteur de deux cartes de crédit, la Visa et l'American Express, qui me permettraient, pensai-je, de payer les billets d'avion Montréal-Rome, Montréal-Buenos-Aires, Montréal-Tokyo, Montréal-Moscou, Montréal-Bangkok... taxis et trains, repas et hôtels... Je partirais avec la jeune fille, sans laisser d'adresse, sans écrire de lettre à Janvière (ce qui n'aurait réussi qu'à la mettre dans la plus cruelle inquiétude, et puis, sa petite santé aurait mal supporté une telle douleur)... Je choisirais le rêve et l'ombre magnifique, je mourrais à moi-même, je franchirais le miroir du pays des merveilles avec cette petite Alice apparue station Guy...

Près de la sortie du métro, un vieil accordéoniste jouait aveuglément des airs de rigodon. Des bouffées d'air parfumé de l'été des Indiens parvenaient jusqu'à nous et de nombreuses feuilles mortes s'étaient engouffrées dans les portes, tournoyant à nos pieds près des téléphones. J'observais la foule houleuse et désabusée sortir des galeries souterraines.

Justine chantait:

Adieu Ville-Marie
Ma jupe est trempée
et j'ai du sable dans mes souliers
Entre La Baie et Eaton
Je n'ai pas trouvé la route des Indes

Je regardais son petit corps effilé de nymphe. Nue, elle devait être une beauté parfaite, vraie sculpture humaine. Elle gommait exprès sa gloire, car elle était si belle que dans la rue on l'aurait poursuivie.

Je demandai l'heure à un passant, sa montre indiquait dix-huit heures vingt-trois. Partir pour aller où? Justine voulait-elle partir pour toujours? Miami, Nassau, Acapulco, Rio de Janeiro, partir… Mais il faisait si beau que le parc Notre-Dame-de-Grâce aurait bien pu faire l'affaire… Pourquoi ne pas rester à Montréal?

Je la voyais sourire au téléphone. Elle était séduisante. Je ne me réveillais pas dans mon rêve. J'allais partir avec elle. Je serais son père, à cette petite orpheline. Nous ferions le tour des Amériques.

Puis, elle composa un autre numéro, avec un autre de mes vingt-cinq scus. Elle parla rapidement en anglais et en italien, elle était sérieuse et grave, comme toute replongée dans un monde de déplaisirs. Était-ce quelqu'un de sa famille? Elle était changée au dernier point, elle écoutait, elle demandait, elle négociait. Je n'osai penser qu'elle parlait à son souteneur… elle raccrocha brusquement.

Elle me prit le bras et m'entraîna dans le dépanneur du métro, où je lui payai le *Elle-Québec,* deux paquets de Dentyne, des œillets et un Coke. Nous sortîmes de la station et allâmes nous asseoir en face, sur un banc public, rue de Maisonneuve.

Je regardais la cohue des travailleurs sortir du ventre de la terre pour venir rougeoyer dans les dernière lueurs d'un soleil tardif.

Justine me passa le bras autour du cou et s'assit sur mes genoux. Elle m'embrassa sur les deux joues, puis, sur la bouche, en souriant insolemment.

Je ne savais que faire de mes deux mains. Cloué sur place, je n'osais bouger.

Cependant, quand je vis Mathilda, notre voisine d'en haut, sortir du métro et jeter sur nous un regard déconcerté — elle qui ne voyait jamais personne — j'eus le goût de me lever et de me mettre à courir.

Mais Justine m'étreignait encore... c'était extrêmement agréable. Elle paraissait fort touchée de notre amitié.

J'entendais distraitement le pétillement des dernières feuilles dans les arbres et le froissement régulier des pas des passants sur le tapis croustillant de celles qui venaient de tomber.

Une limousine blanche aux fenêtres toutes noires stationna devant la station Guy et Justine, après avoir échangé quelques mots avec le chauffeur (sans doute était-ce avec lui qu'elle avait parlé en italien, tout à l'heure, au téléphone), m'y fit monter.

Le soir tombait déjà, car les jours sont courts en automne. Justine me demanda de lui verser cent dollars. Je m'exécutai sur-le-champ, sans poser de questions. Je n'éprouvais ni inquiétude ni angoisse, mais seulement un doux engourdissement.

Justine coucha sa tête sur mon épaule. La limousine se dirigeait lentement vers l'ouest, rue de Maisonneuve, puis tournait sur Sherbrooke. Nous parlions peu.

Nous passâmes devant le parc Westmount, qui pointait ses canons anciens vers nous, et poursuivîmes jusqu'au boulevard Décarie que nous remontâmes jusqu'au chemin de la Reine-Marie. Je jetai, en passant, les yeux sur notre maison, au coin de l'avenue Notre-Dame-de-Grâce: Janvière m'y attendait certainement avec le souper sur la table. Hélas, j'étais entraîné, presque malgré moi, dans une aventure qui donnait du piquant à ma vie banale de vieux professeur.

Après avoir passé devant l'Oratoire Saint-Joseph, dont le dôme était tout illuminé, le chauffeur tourna à droite. La Cadillac descendit Côte-des-Neiges jusque sur l'avenue Docteur Penfield et, ensuite, sur Hutchison en direction du centre-ville.

Il régnait un grand silence. La ville de Montréal semblait imaginaire, aussi peu réelle que mon rêve avec Justine, aussi pauvre qu'elle, aussi misérable et courageuse. Comme elle, Justine donnait sa chemise. Ses deux petits seins fermes perçaient la nuit de toute leur douceur et affrontaient la mort avec la plus grande insolence. La limousine parcourait lentement le centre-ville, pendant que ma main fébrile cherchait sur son corps, comme sur les touches d'un instrument, les notes les plus émouvantes et les plus belles.

Je l'écoutais chantonner:

Adieu Ville-Marie
Ma jupe est trempée
et j'ai du sable dans mes souliers
Entre La Baie et Eaton
Je n'ai pas trouvé la route des Indes.

La limousine, parvenue à l'angle des rues Beaudry et Sainte-Catherine, s'arrêta un moment. Le chauffeur but une rasade de Southern Comfort.

Le Ouimetoscope était lumineux et affichait un film d'horreur: *Les griffes de la nuit (A Nightmare on Elm Street).* Justine l'avait vu. Deux adolescentes faisaient le même cauchemar où apparaissait un être monstrueux dont la main droite était armée de griffes d'acier. Peu de temps après, l'une des filles était trouvée morte ensanglantée dans sa chambre.

Le temps filait, le chauffeur allait bientôt me faire signe de descendre.

Je n'osai pas demander à Justine quand nous pourrions nous revoir.

J'étais trop vieux pour la secourir, pour la kidnapper. Je lui souhaitais un amoureux vigoureux et intègre, jeune, beau et fort qui l'enlèverait et l'emmènerait dans des pays lointains, à l'abri de la civilisation. Où étaient ces pays? Existaient-ils?

Il se faisait tard. Janvière devait m'attendre, elle avait dû mettre le souper à réchauffer au four, elle devait s'inquiéter. Je demandai l'heure au chauffeur: vingt heures quarante.

Rue Sainte-Catherine, je marchai longtemps, vers l'ouest, dans la brise chaude de l'été des Indiens.

À la hauteur du Forum de Montréal, je hélai un taxi, mais quand je voulus monter dans la voiture, je m'aperçus que je n'avais plus mon portefeuille.

Je décidai de rentrer à pied, presque résolu à ne plus m'arrêter.

ANDRÉ BROCHU

Satan de Montréal

Attention! Cela vient, va, vient, va... Je ris. Je me souris. Il y a cela autour, l'autour, le tout autour.

Des feuilles, des feuilles par millions, par milliards. Tout un éploiement de feuilles, fines nervures, parades végétales. Je marche au milieu de mille ombres tombées des fûts, frondaisons, écorces. Je suis un fils des arbres. Ma peau est un lac calme où se mirent les bois. Poète. Je suis, je suis nu. Cogito. J'avance dans mes allures, mes erres. Et je fais attention. Il y a plein d'ombres autour de moi. Cette montagne est un repaire. Mille loups, hanches étroites, yeux inquiets. Les anges-loups du mont Royal. Sceptres aux dents. Pullulent, paraît-il. Hantent les sentiers, sans un bruit, tirés par le nez.

Tout près, il y a la ville, la voie rapide que les voitures dévalent à coups de freins et de compression ou attaquent à plein régime vers le haut, négociant pentes et virages, vivant au mieux la transition entre le siècle et la nature intemporelle. Ici la montagne, le couvert. Ici le désir nu. Car si j'avance, si je vais au bout du sentier, un miracle m'apparaîtra. Il aura l'air de vous et moi, d'un jeune homme très bien, au sourire correct. Il aura un regard vert ou bleu, et je tomberai dans ce regard. Je tomberai de très haut, de très loin. Il sera devant moi et je tomberai très bas au pied du temps, entre ses pieds à lui, ses pieds de soie, d'os.

Je suis fou. Il ne faut pas rêver.

Se tenir à carreau. Qu'est-ce que je fais ici, vieillard répugnant, cloporte urbain, qu'est-ce que je fais dans ces bois pour âmes perdues, pour ceux qui, corps et vie, ont choisi leur destin alors que toi, sale moi, depuis ta misérable naissance, tu frôles les dangers sans jamais t'y donner? Ah! Te donner! Te perdre, une bonne fois! Te jeter cru dans la gueule des loups, y passer! Trépasser!

Pauvre, pauvre vieux. À soixante-deux ans, mener ainsi ton désir célibataire comme un petit chien de laine sur les tapis de terre battue, ahanant et comique. Viendrait un garçon de métier, un vrai, qui te ferait les yeux doux à fondre, à couler comme une pitié, et tu ne pourrais faire autrement, pauvre, pauvre vieux, que de détourner les yeux, tu le fais depuis quand? À quatorze ans, déjà, tu matais ton vice. Cela, incommensurable — ce que tu as vécu d'heures longues, creuses, de plaisirs seul à seul et d'envies noires, de passion ajournée, jamais assouvie — fait un mur entre tous et toi. Tu vois celui-là qui bouge, derrière les feuillages? Tu vois son visage de jeune criminel, de drogué, de danseur érotique, de professionnel sans aveu? Il est beau, sombre. Sa chemise est largement ouverte, le short est déchiré. Prêt à cueillir. Je l'introduirai dans ma folie comme le coup de vent qui râpe, qui déchire. Eh bien! non, ce jeune homme est un hoplite, un sacré défenseur de la santé et du droit, un étudiant quelconque aux idées rigides, étroites, et s'il soupçonnait seulement ma terrible disposition à l'adorer, à prier son corps modelé des inflexions de l'infini, son corps poil et douceur, rage et cambrure, il me clouerait de son mépris et de son rire, me défoncerait des poings et des genoux, me laisserait pour mort sur ce chemin de boue. Je le sais. Depuis mes quatorze ans, je le sais. J'ai expérimenté tous les refus, avant même de les vivre. Je suis un as de la continence malade. Maladive.

Malade.

Que se passe-t-il? C'est le choc au cœur, le tourbillon. Il y a bien dix ans que je n'ai rien senti de tel. C'est lui, c'est ce loup. Il me regarde, me demande l'heure avec un drôle de sourire. Ce n'est pas possible. Moi! Lui! Il me regarde, me parle. Je reprends pied, lui souris. Il sourit aussi. Vertige, fièvre. Il est tout près de moi, s'empare de mon bras pour approcher ma montre de ses yeux. Son autre main touche mon épaule, doucement. Il est une caresse sur moi. Il est un cataclysme de tendresse sur moi. Ô prodige, je ne m'évanouis pas, mais je tremble de toute ma carcasse, de tous mes ans révolutionnés. Je tremble. Il me dit: «N'ayez pas peur.» Je lui dis: «Je n'ai pas peur. Je tremble, c'est tout.» Il comprend, je crois qu'il comprend. Il a mis la main sur une vertu rare. Une vertu, ça rue dans les brancards.

❑

Deux heures plus tard, j'ai bien perdu trente ans. Toute ma vie est à refaire, à base de péché (ma chère). Car moi qui ne croyais plus, depuis les beaux débuts de la Révolution tranquille, je découvre l'existence de Satan. Cette existence est nécessaire, et métaphysiquement liée à l'érotisme anal. Satan est le ministre de la boue. Il règne sur un univers de caves, de fondements. L'ombre faite terre, chair de terre.

Pendant deux heures, à ras d'herbe et de sanglots, j'ai vengé ma vie de cette longue insignifiance, l'immense peur... de quoi? D'être abject. J'ai passé ma vie à n'être pas abject, pas montrable du doigt. Quelle horreur! Comme je hais tous ceux qui m'ont interdit le plaisir, avec sourires anticipés pour la faute à commettre, ces sourires qu'on destine à ceux qui ne pourront jamais sourire, sourires immédiats et précis, exactement mesurés, qui affirment le bon droit et le sang clair. Je ne veux plus aimer que Satan, par qui l'abjection m'est douce et secourable. La perspective d'être damné, même dans un monde sans Dieu, réduit au grand foutoir des galaxies, est ma raison présente. Je suis sexagénaire et catholique, un catholique sans Dieu. Je suis un champion du sexe coupable, et sur cette roche molle, ce mont Royal de feuillages et de boue, je fais profession d'amour. J'aime ce qui passe dans ma vie. J'aime cette ordure, ce jeune voyou qui m'a rendu à moi-même, m'a baisé, m'a violé, m'a pris tout mon argent, m'a filouté ma peur et ma tendresse. J'aime cet autre moi, aussi grand, pur et beau que le monde, aussi ignoble, j'aime cette carcasse qui s'est prise peu à peu du même tremblement que la mienne, où s'est propagée la même horreur sacrée. La mort. Nous avons fait la mort; l'amour et la mort. Nous avons réinventé le péché, qui est une disposition à exister à contre-lumière. À exister du côté sombre des feuilles, dans la fraîcheur et le murmure. Vive l'ombre, qui pleut! Vive ce néant bleu!

Juste au-dessus de nous, grotesque, métallique et carrée, la croix réglait la circulation des nuages.

Louise Maheux-Forcier

Angela

C'était une enfant parfaite, de celles dont on dit qu'elles sont nées coiffées ou que les fées se sont penchées sur leur berceau. Physiquement si accomplie — de forme, de couleurs et de grâce — qu'on avait toujours envie de la photographier, elle était cependant plus réussie encore au moral, pourvue d'une intelligence qui pétillait sans cesse en milliers de points d'or dans le bleu profond de son regard et d'une conscience incorruptible qui distinguait instantanément le mal du bien, rejetant l'un d'instinct et pratiquant l'autre avec une constance qui ne lui demandait d'ailleurs aucun effort.

Ainsi, contrairement au commun des petits mortels qui prennent un malin plaisir à contrarier les adultes, à semer la pagaille dans les occupations domestiques en réclamant la pitance et les soins à des heures indues, à faire des plus tendres nuits conjugales de furieuses nuits blanches et à se transformer en courant d'air à la moindre invite d'écureuil folichon, cassant des noisettes, ou d'oiseau perché, modulant des vocalises, Angela, elle, n'agissait qu'en fonction du bien-être et du bonheur de ses parents.

Par-dessus tout, c'était une petite fille qui se «rapportait»... qui donnait signe de vie, tout en veillant sur la vie des autres. Où qu'elle soit, quoi qu'elle fasse, on savait toujours où la trouver. Elle avait prévenu. Précisé l'heure, le lieu, le pourquoi et, le cas échéant, demandé la permission. Elle était née comme ça... avec l'idée qu'il ne faut jamais tourmenter personne.

Peut-être cette disposition lui venait-elle du long stage antérieur dans ce magma nébuleux situé quelque part dans l'infini du cosmos où certains prétendent que les âmes sont stockées, réduites au plus strict et pénible anonymat, mais jouissant néanmoins du privilège d'en sortir et de s'incarner sur le sol de leur choix.

Pendant des temps éternels, du fin fond de la Voie lactée, elle s'était livrée sérieusement à une étude comparative des planètes et de leurs habitants. Non sans avoir commis quelques erreurs de jugement à ces deux sujets, en flânant à quelques reprises sur la queue ondoyante d'une comète, en reluquant les branches d'un corps céleste ou les rayons d'un clair de lune... Bref, après avoir vécu un certain nombre d'expériences, sinon tragiques, du moins décevantes, elle avait finalement opté pour la planète Terre et pour les êtres qui la peuplaient.

Dans le premier cas, le choix s'était imposé, non seulement à cause du halo bleu nimbant de mystère cette rondeur égarée dans une insondable galaxie mais, surtout, à cause d'un ilôt vert ceinturé de brillantes aiguilles dont les pointes visaient l'incommensurable empyrée et, dominant une multitude de cubes multicolores, frangés et couronnés de dentelle métallique, allaient finalement inverser leurs silhouettes sur le tain liquide et mouvant d'un long ruban de soie...

S'étant renseignée, Angela mit des mots sur tout cela qui la fascinait, tout cela qui composait ce lieu irrésistible:

Montréal, sa montagne volcanique bordée de gratte-ciel de verre et ceinturée d'un fleuve mirobolant... Montréal et ses petites maisons sagement alignées le long des rues, comme au garde-à-vous, dans leur parure de fer forgé: escaliers en colimaçon, corniches historiées et balcons suspendus, aux balustrades ornées de feuilles d'acanthe...

Mais, plus encore que ce lieu idyllique, l'avait épatée la révélation que là, sur cette planète, dans cette ville, dans les maisons et même à la belle étoile, les nuits d'été sur le mont Royal, vivaient des êtres dûment baptisés dès leur naissance, et qui gardaient jusqu'à la pierre tombale une identité bien définie, irréfutable. Cela lui semblait devoir compenser admirablement l'affreux incognito qu'elle avait connu jusque-là dans la grande salle d'attente qui gravite autour des innombrables mondes que contient l'univers, ainsi que dans quelques existences précédentes où, sous forme de crocodile, de coquelicot sauvage et de robot martien, elle avait connu de multiples déboires en ce qui concerne l'identité et la personnalité.

Avec le même soin et une égale application, elle avait élu le couple qui devait l'engendrer. Jugeant que l'apparence est un atout précieux lorsqu'on a l'intention de devenir visible et s'étant aperçue que la plupart des rejetons héritent d'une ressemblance flagrante avec leurs géniteurs, elle avait jeté son dévolu sur les deux plus beaux spécimens de l'espèce, de surcroît très exactement appareillés en grain de peau, en port de tête, en chevelure dorée et en regard d'outremer, afin d'éviter toute surprise désagréable qui résulte parfois de fusions intempestives. Et voilà pour la chair!

Quant à l'esprit et au caractère, se fiant d'abord à l'idée que le contenu ne pouvait que rivaliser d'excellence avec le contenant, elle fut tout de même saisie d'inquiétude en remarquant que le mâle avait une fâcheuse passion pour les armes à feu — passion qu'il assouvissait, même hors-saison, dans les futaies du braconnage — et que sa compagne avait une non moins blâmable manie: celle de négliger tous ses devoirs lorsqu'un rêve sortant d'un livre venait l'habiter; autrement dit, il arrivait à cette superbe créature d'oublier complètement son propre aspect, et jusqu'aux soins qu'elle devait à sa personne, pour passer des jours entiers dans le plus moelleux de ses fauteuils où, le visage sans fard, la chevelure ébouriffée et le corps voluptueusement emmailloté d'un vieux peignoir rose, elle s'égarait dans des ailleurs de papier aussi impénétrables que les forêts de son chasseur invétéré.

C'était leur âme, à chacun. Qu'à cela ne tienne! l'enfant potentielle en avait une aussi, sans la moindre faille: une âme d'airain, longuement et durement forgée dans la peau coriace du crocodile, longuement et tendrement polie par la brise dans les pétales du coquelicot, longuement et savamment rompue aux rouages de la connaissance et de l'efficacité dans la carcasse anguleuse du robot.

Après mûre réflexion, et désireuse avant tout de conserver intacte et entière, sans nul apport extérieur, cette âme chère, si chèrement acquise, elle l'avait tout bonnement divisée en deux parties égales qu'elle avait ensuite propulsées, l'une chez le plus valeureux des petits serpents que l'homme nourrissait entre ses cuisses et l'autre à l'intérieur de l'œuf le plus prometteur qu'elle avait trouvé dans le nid douillet de la femme.

Hélas! la première tentative fut désastreuse et elle avait bien failli perdre à tout jamais son bien le plus précieux dans les méandres visqueux de l'accouplement, car le petit serpent paternel, pourtant sélectionné parmi des milliards pour sa fougue et son audace, s'était comporté comme un goinfre à la vue d'un tel caviar, ou — plus honteusement encore pour lui, étant donné son origine et l'ordinaire habileté de son propriétaire — comme un chasseur énervé, absolument incapable de discernement: sans prendre le temps d'ajuster son tir, il avait jeté son dévolu au hasard, sur un vrai avorton d'ovule, plongeant une moitié de la future enfant dans une moitié incompatible d'où la pauvre s'était échappée de justesse, entraînant avec elle, vers la sortie, son indispensable complément et livrant passage, du même coup, à n'importe quel suivant.

De cet incident de parcours avait germé le frère le plus déroutant qui se puisse imaginer... Paul... En perpétuel conflit avec lui-même, proie de ses propres lubies antagonistes, victime d'attirances contradictoires qui le chargeaient d'ambivalence, vagabond flottant parmi les clochards, errant de fuites en fugues, d'oublis en trahisons, Paul ne semblait nourrir qu'une ambition, source pour lui de félicité absolue: semer l'angoisse et laisser ses parents, au bord de la folie, peupler la maison et la ville de clameurs qui épelaient son nom et alertaient la police... Paul!

Échaudée par cet avatar, sa sœur mit plus de cinq années de temps terrestre avant de récidiver... et de réussir!

D'Angela, on ne se préoccupait jamais. Son prénom, elle l'avait proclamé elle-même en naissant, du moins c'est ce que prétendaient ses parents pour avoir, attendris à l'unisson, pareillement interprété les syllabes entendues ce jour-là et qui, par la suite, répétées inlassablement et comme prolongées dans l'écho des rires ou des larmes, signifiaient clairement à leurs oreilles: «Ange est là!»

Ils se regardaient, au comble du bonheur, se disant que celle-là, au moins, leur épargnerait les affres de la disparition chronique à l'heure des repas ou à la nuit tombée, contrairement à Paul qui les condamnait périodiquement à manger froid ou à dormir à l'aube, fourbus, affamés et bredouilles, après avoir inventorié les alentours comme deux chiens renifleurs lâchés sur les pistes du plus roublard des gibiers de potence.

Angela était là, à portée de voix, à portée de vue, à portée de ces caresses automatiques et distraites que se méritent les choses et les bêtes familières.

Peu à peu, elle avait développé — sans toutefois en tirer le moindre orgueil — une si haute et si convaincante opinion de son importance qu'il arrivait même à ses parents de la partager... Petit ange tutélaire! Petite gardienne du foyer qui savait débusquer son frère jusque dans ses pires retranchements, détecter l'odeur d'un rôti qui s'apprête à brûler, toujours fermer les volets avant le premier coup de tonnerre et vider les carabines de leurs munitions quand elle devinait que son père allait entreprendre de les fourbir.

À n'en pas douter, Angela était indispensable. Elle! Personne d'autre. Dans cette famille, elle était pareille au sujet principal d'un tableau, qui, non seulement éclaboussait sans peine, de sa blondeur scintillante, du bleu extravagant de ses yeux et des qualités de son cœur, le pâle fantoche bâclé et récalcitrant qu'un coït trop impétueux lui avait donné pour frère, mais arrivait même à éclipser les merveilleux humains qui lui avaient servi de modèles. Surtout, surtout! sa seule présence jugulait les tragédies, empêchait la maison de flamber, Paul de commettre l'irréparable et les parents... de rendre le dernier souffle.

Une seule condition: que l'Ange soit là!

❑

Mais il fallut bien qu'un jour elle prît le chemin de l'école et le drame lui vint, non pas de quitter le réduit de l'étage qui lui servait de chambre à coucher d'où elle était certaine qu'on entendait ses ronrons de prières, ou n'importe quelle autre pièce de la maison où elle suspendait régulièrement toute activité pour s'assurer, d'un petit cri joyeux, qu'on la savait en lieu sûr, mais de devoir vivre désormais hors de portée de voix, de vue et de caresses, vivre invisible, inaperçue, plus inconsistante encore qu'à l'état de pur esprit dans le grand magma originel... Elle s'imaginait retourner brutalement au néant absolu des limbes, souffrant davantage encore pour les autres que pour elle-même d'une absence synonyme, pour elle, de danger.

Munie d'explications et de paroles rassurantes en ce qui concernait son futur emploi du temps et la sérénité parentale à son sujet, Angela n'en conçut pas moins pour la baraque en briques rouges et pour la sœur du Bon-Conseil — qui y dispensait, sans conviction, de mauvais conseils à dormir debout en même temps qu'un savoir douteux en de multiples sciences — une aversion que l'habitude n'arrivait pas à contrôler, comme il arrive pourtant qu'à force d'usure les pires désagréments nous deviennent supportables.

Elle devait avoir quinze ans, ce matin-là, qu'aussitôt franchi son perron et parvenue sur le trottoir, elle fit comme chaque jour volte-face, gravit de nouveau les marches et, poussant la porte, lança à la ronde son au revoir habituel: «Ne vous inquiétez pas! Angela est à l'école!» Et elle ajouta, d'avance scellant son horaire et coupant court à toute velléité d'évasion, de surprise ou d'imprévu: «Je serai de retour à seize heures!»

Angela ne s'en aperçut pas sur le moment, mais elle venait de mentir, à cent lieues de s'imaginer qu'à seize heures précises elle entrerait dans le camp de son frère, le camp des fugueurs, des insouciants, des délinquants... oubliant son adresse et le creux de son lit au profit de l'irrépressible volonté du destin, oubliant père et mère adorés en faveur de l'irrésistible aventure... oubliant complètement de se «rapporter».

Ce jour-là, Angela *tomba en amour* comme tombe à genoux, au cinéma, un personnage qui reçoit une balle en plein cœur. Il avait suffi d'une seconde, le temps de lâcher son cartable ouvert, le temps que s'envolent en s'éparpillant les feuillets de son devoir, le temps, dans la poitrine, d'une violente secousse, pour qu'Angela comprenne, non seulement que la sœur du Bon-Conseil était en train de soigner sa grippe à l'infirmerie, mais que cette jeune femme... Andrée («Je m'appelle Andrée M...»: c'était écrit au tableau) la remplaçait. Il n'avait fallu que le temps de rassembler, à quatre pattes, ses papiers volants, le temps d'entendre les rires de ses compagnes et la voix de l'étrangère: «À ce que je vois, vous vous êtes *enfargée* dans les fleurs du tapis! En bon français, et pour être fidèle à la réalité immédiate, il serait préférable de dire que vous venez de vous prendre les pieds dans un barreau de chaise!... C'est une habitude? ou un accident?»

Se relevant de son humiliante posture, l'apostrophée répondit tranquillement, posant son cartable sur son pupitre en même temps qu'elle posait son regard bien droit dans le regard d'Andrée: «Moi, je m'appelle Angela! Voilà!... Ange est là! Vous pouvez commencer!»

Ce qui alors commença véritablement pour Angela n'avait rien à voir avec quelque enseignement que ce fut. Bien au contraire, cela venait brouiller non seulement toute science déjà acquise, mais toute science à venir par la bouche et la main de cette femme... Andrée... Si bien qu'Angela comprit très vite, dans les heures qui suivirent, qu'elle aurait besoin de leçons supplémentaires... besoin d'une bouche sur sa bouche et d'une main sur la sienne, au moins jusqu'à minuit! jusqu'à demain, jusqu'à toute l'existence pour apprendre à conjuguer correctement le verbe «aimer»...

❑

Lorsqu'elle rentra chez elle, au petit jour du lendemain, elle trouva la maison sans vie, plongée dans le noir, et dégageant dès le seuil une forte odeur de catastrophe. S'avançant à tâtons vers une faible lueur qui venait de la salle à manger, elle trouva sur la table, au milieu du halo jaunâtre qu'y plaquait l'abat-jour du lustre, un billet griffonné à la hâte: «Ils sont morts. Elle s'était endormie dans son fauteuil, comme d'habitude, un livre à la main. Il nettoyait son fusil. La première balle, en plein cœur du peignoir rose, c'est peut-être un accident, mais sûrement pas la deuxième, qui s'est logée dans sa tête à lui! Où étais-tu, Ange du foyer? Adieu. Ne me cherche pas. Paul.»

❑

Elle ne l'a pas cherché, mais lui, il a trouvé Andrée. Il est *tombé en amour* comme jadis, sur le chemin de Damas, tomba, du haut de son cheval, au beau milieu du droit chemin, son mécréant homonyme foudroyé par la grâce.

❑

Quelquefois, lorsqu'ils vont la voir ensemble, dans la baraque en pierres grises qui sert d'ultime école aux aliénés, Angela desserre, au fond de sa gorge, le nœud des mots prisonniers et réussit à faire entendre au couple perfide que, la prochaine fois, elle s'incarnera sur une planète en fusion, nimbée d'une couronne de suie et peuplée de démons cornus, égoïstes et féroces, armés de fourches sanguinaires... une planète où personne ne prendra soin de personne... et où chacun trahira son semblable...

Elle continue à broder sur ce thème mais, au bout de quelques minutes, elle semble épuisée comme si elle venait de vivre des milliers de vies possibles entre les pages d'un livre imaginaire. Ses lèvres esquissent alors un sourire terrifiant et, dans la mer trouble de son regard où les paillettes d'or émettent soudain des éclairs fauves, sa raison chavire... Avant de perdre à nouveau l'usage de la parole, elle dit clairement: «J'ai même choisi mon prénom: Méphista!»

❑

Ils sortent en pleurant. Ils songent à l'enfant qui naîtra d'eux... bientôt.

MADELEINE OUELLETTE-MICHALSKA

La rencontre de l'ange

Parfois, lorsqu'elle se trouvait à la bibliothèque de l'université, inclinée sur la page qu'elle s'efforçait de remplir, une grande fatigue s'emparait d'elle. Ce qu'elle éprouvait n'était pas l'épuisement légitime qu'apportent des heures de travail, ni l'accablement dû à une concentration prolongée, mais une fatigue si extrême que tout effort supplémentaire, ou simplement la vue des livres, lui devenait tout à coup insupportable.

Elle fermait les yeux, tentait de se réfugier au plus profond d'elle-même, mais le silence pensif et besogneux de la pièce la suivait, inséparable de l'odeur des livres empilés sur les rayonnages, vieille odeur de papier mille fois palpé, sollicité, ou éternellement en attente sous la page couverture délaissée.

Elle qui s'était longtemps intéressée à l'énigme que chacun de ces livres ambitionnait de résoudre, et qui rêvait depuis toujours d'écrire un livre — elle ne savait trop ce que ce livre raconterait, mais il devait tenter de saisir quelques-unes des correspondances intimes qui liaient les mots et les choses — ne percevait plus aucun des échos qui l'avaient déjà émue. Était-ce la fatigue qui conduisait à tant d'insensibilité? Elle aurait souhaité entendre la voix des livres, la musique formée par la composition intégrale et variée de tous les ouvrages exposés. Mais seule la mesure du silence lui revenait, une mesure exacte qui ne l'informait de rien sinon des menus bruits qui altéraient ce silence: le grincement d'un tiroir, le craquement d'une chaise, une quinte de toux, le raclement des stylos qui raturaient la feuille et reprenaient la version que l'on souhaitait conforme à l'esprit des livres consultés.

Un tel labeur ajoutait à son malaise. Il lui semblait que toute l'énergie des corps se réfugiait dans la page deux ou trois fois recommencée où l'on transcrivait la somme des connaissances acquises à coups d'efforts interminables et répétés. En même temps, elle entendait le battement des photocopieuses qui reproduisaient les discours déjà constitués, et elle craignait que tout s'engloutisse dans l'acte de répétition qui pousse à vouloir couvrir le monde d'une page, ou même d'un mot, qui pût le représenter entièrement et à jamais.

Elle craignait que ce travail de dédoublement l'oblige à faire le deuil de tout ce qu'elle avait aimé, détesté, poursuivi avec ardeur et passion depuis qu'elle était au monde. Il lui semblait que le triomphe de la page instaurait la mort des activités entreprises, des pays visités, des corps aimés. Ses enfants et l'homme avec qui elle vivait devenaient ce passage plat, cette phrase harmonieuse, ce mot qui les effaçait. Et s'effaçaient aussi son visage avec ses rides et ses cernes, la ville tout autour et ses jardins, l'amour même, ses drames et ses joies.

Un jour qu'elle se trouvait là, entourée des rayonnages qui couvraient les murs, la concordance entre l'alignement des livres sur les rayons et l'alignement des corps autour de la table lui devint subitement perceptible. Toute chose répétait toute chose. Les livres répétaient les corps, qui eux-mêmes répétaient les livres lus. Refusant l'évidence absurde, elle ferma son cahier, tourna le dos à la bibliothèque et sortit. Elle voulait voir la ville, les arbres, la rue, avant qu'on ne les transforme en signes. Elle voulait se promener parmi des formes libres, jouir des choses non soumises à l'ordre abstrait qui les vidait de leur moelle et gommait leurs contours.

Elle marcha longtemps au hasard, prenant plaisir à sentir le vent sur sa peau et dans ses cheveux. Sans s'en apercevoir, elle prit bientôt par la gauche. Peut-être voulait-elle fuir la circulation, la lassante géométrie des trottoirs. Elle contournait maintenant le flanc nu du mont Royal, le côté qu'elle préférait parce qu'elle y respirait mieux et croyait sentir la Terre ronde et charnue sous ses pieds. Les feuilles tombées craquaient sur la lisière de gazon jaune où elle avançait. Elle se sentait légère, remplie de jouissance pure et simple de l'instant. Ses pensées flottaient dans une sorte de buée tiède — sorte de vide bienheureux qui ne promettait rien, et n'attendait rien que sa continuité.

Elle écoutait le mouvement apaisant de ses pas, lorsque son attention fut attirée par une porte de fer à doubles battants qui paraissait échapper à l'espace urbain. Était-ce à cause de la dorure qui renforçait l'or du paysage, ou d'une pancarte qui annonçait deux cents hectares de parc insoupçonné? Elle s'approcha et franchit la porte derrière laquelle se tenaient, suspendus entre ciel et terre, deux anges de grande taille. Un clairon à la bouche, et placés de chaque côté d'une croix, ils étaient immobilisés dans leur envol par le socle du monument funéraire qui les retenait à l'entrée du cimetière — car une autre pancarte indiquait qu'elle se trouvait au cimetière de Notre-Dame-des-Neiges. Pourquoi deux anges? Et qu'annonçaient-ils, si vigilants, brillant de la dorure outrancière qui souhaite être remarquée, et qui, bien qu'exposée aux quatre vents, ne portait pas la moindre trace de patine?

Intriguée, elle en fit deux fois le tour, fascinée par la réincarnation des angelots qui avaient peuplé les églises de son enfance et égayé de leurs enluminures les anciens livres de piété, tous ces lieux qui lui avaient enseigné le sacré et son double — la profanation —, car déceler une éraflure sur l'aile, une cassure du nerf qui faisait battre celle-ci, lui arrachait des fous rires irrévérencieux. Tant d'incongruité dans ce retour d'iconographies naïves, la fit sourire. Ces anges au clairon n'indiquaient ni l'éternité, ni la mort, ni quelque retentissante résurrection ou tragique descente aux enfers. Ils menaient tout droit au temps de l'enfance, temps béni où les peines les plus vives et les labeurs les plus exténuants s'évanouissaient au passage de l'ange qui effaçait d'un coup d'aile les ternes et prosaïques malheurs quotidiens.

Derrière les deux anges, le chemin asphalté se dédoublait. La voie de droite partait en direction d'un certain nombre de mausolées qui portaient des noms de saintes et de saints connus. Celle de gauche conduisait à la chapelle de la Résurrection, au crématorium, au garage, au mausolée de la Piéta, et à un certain nombre de bâtiments administratifs. Elle hésita: les deux voies l'attiraient également. Mais, finalement, elle opta pour la gauche, espérant trouver là plus de contrastes et de variété — la juxtaposition des mots *garage* et *crematorium* étonnait, et l'exotisme proposé par *La Pietà* l'enchantait.

Elle commença donc à gravir le pied de la montagne, d'abord désert, puis peu à peu peuplé de passants et de voitures qu'elle s'étonna d'apercevoir. Cette circulation automobile lui paraissait une violation de la paix des lieux et de l'idée qu'elle se faisait des cimetières. Non loin, une pancarte affichait cinquante-cinq kilomètres de routes, et un million de morts. Déroutée par la mise en ordre statistique qui rappelait la gestion des complexités urbaines, et par le gigantisme du parc qui l'avait d'abord séduite par la promesse d'un espace pouvant restituer l'ancienne simplicité terrestre, elle concentra ses pensées sur le parcours à effectuer. Rapidement, les deux voies finirent par se rencontrer, c'est du moins le souvenir qu'elle en garda, car les pancartes de droite et de gauche paraissaient s'être superposées.

Profitant de ce nouveau départ, elle s'aventura cette fois du côté droit, afin de satisfaire équitablement sa curiosité. Elle fut bientôt arrivée au point où, en se retournant, elle aperçut en contre-plongée un rectangle de pierres tombales qui formaient de petits cubes à la surface du sol. Il n'y avait plus trace de mort, plus de rappel des afflictions et des bonheurs ayant touché quelqu'un qui avait déjà eu un nom, des projets, un visage, mais seulement une figure géométrique regroupant des cubes qui, si elle les fixait longtemps, devenaient de minuscules points noirs. Elle leva les yeux au-delà de la rue qui l'avait conduite au cimetière et aperçut sur l'escarpement voisin de la montagne — ou peut-être était-ce l'autre versant — une série de buildings formant des rectangles superposés contenant des milliers d'appartements dont chacun paraissait un cube rétréci et sans soleil.

Ne sachant pas si le territoire des morts était calqué sur celui des vivants, ou si l'architecture urbaine avait voulu reproduire l'univers sépulcral, elle poursuivit son chemin, évitant de trop se laisser distraire par de vaines préoccupations. Elle se contentait de détailler les surfaces de gazon découpées par les chemins, les voitures qui se retenaient de klaxonner aux intersections, les piétons pressés qui cherchaient leurs morts un numéro à la main. Car ce qui avait d'abord été un champ vaste et ouvert s'était peu à peu resserré, au fur et à mesure qu'elle gravissait la montagne, en îlots de tranchées mortuaires cadastrées, numérotées, entre lesquels serpentaient des chemins parsemés de pancartes qui indiquaient la direction à prendre. Mais elle ne cessait de se perdre. La gauche et la droite disparaissaient entre les chemins qui s'écartaient, puis se réunissaient dans des croisements en forme de boucle, la ramenant vers le labyrinthe des sentiers enchevêtrés dont elle percevait difficilement l'itinéraire, le système de numérotation des lotissements mortuaires paraissait obéir à un ordre aussi secret que le double système de classement des livres à la bibliothèque.

Son seul point de repère aurait pu être la porte d'entrée et les deux anges au clairon qu'elle avait depuis longtemps perdus de vue, mais cette porte et ces anges paraissaient s'être multipliés. Elle en voyait partout des répliques qui augmentaient sa confusion, si bien qu'elle finissait par n'avoir plus qu'une seule certitude: elle errait dans un monde à la fois confus et ordonné, qui répétait sur un mode mimétique la symétrie des hauts buildings édifiés derrière, et sans doute plus tard, laissant aux morts le dernier mot. Elle croyait même que si elle s'était trouvée dans l'un de ces appartements, et avait jeté un regard sur la nécropole, elle aurait probablement vu un étagement similaire — aux angles naturellement plus arrondis puisque les logis des morts, dépourvus d'ascenseurs et d'incinérateurs, n'exigeaient pas la construction verticale des habitations modernes. Mais peut-être se trompait-elle. Il se pouvait que le *crematorium* ait ces commodités, ou même les grands mausolées collectifs édifiés en hauteur — le mausolée de *La Pietà*, par exemple, si touchant dans son appellation, mais si rectiligne, si rigidement planté contre le ciel avec ses hautes verrières glacées.

À la fin de sa promenade, elle se souviendrait à peine avoir vu quelques fleurs chétives. Y en avait-il, ou sa mémoire les avait-elle aussi transmuées en pierres? Car toutes ces ambitieuses édifications proclamaient la victoire du roc et du mortier qui défieraient le temps. À la hauteur où elle se trouvait, les mausolées étaient si tassés les uns contre les autres, et les chemins si emmêlés, que la montagne paraissait avoir basculé, livrant au regard son envers: le magma de roches et d'argile qui la constituait avant que n'intervienne la mise en ordre du chaos, le travail de l'art et de la pensée qui devait la transformer en cimetière.

Selon les statistiques affichées, ce site comptait trois fois moins de morts que la ville ne comptait de vivants. Mais plus elle avançait, et plus elle avait le sentiment que les chiffres s'étaient inversés. Chaque repli de la montagne dissimulait des îlots de tombes, des amas de stèles et de mausolées qui arboraient une phrase pieuse, des obélisques, des trophées, des trompettes, des anges silencieux et des anges au clairon dont certains avaient des doigts d'aigle. Et ainsi venait à elle une musique, la voix tumultueuse et infinie de la mort orchestrée de façon sublime, ou grotesque, par le désir d'immortalité et l'orgueil qui avaient conçu ces figures dispersées devant garder la mémoire des disparus. «Mais, quelle mémoire?» se demandait-elle, à l'instant où elle atteignait un colossal mausolée au nom papal, massif, tout de pierres sévèrement alignées, à la façade duquel s'ébattaient de grands oiseaux qui la faisaient fuir.

Elle retournait aux archipels de mausolées privés, dont certains épousaient la rigueur du gothique, alors que d'autres, enfouis sous des coulées de fausses laves, tentaient d'imiter la spontanéité primitive des habitations troglodytes. Elle essayait d'imaginer des corps, se demandant qui se tenait derrière le bloc de schiste ou de granit qui en masquait la forme, en étouffait la voix pour mieux la faire retentir? Un nuage de poussière se déposait sous ses yeux. Les voitures roulaient presque à grande vitesse, exaspérées par la lenteur du labyrinthe et les embouteillages qui se formaient aux croisements des chemins.

C'était un samedi de novembre. Les vivants venaient sans doute plus nombreux que d'habitude visiter leurs morts. Elle crut que d'autres véhicules allaient surgir, que d'autres mausolées allaient apparaître, que d'autres chemins allaient se croiser sur la droite et la gauche, indéfiniment, le paysage ne cessant de se dédoubler à la surface de la nécropole surélevée où tout s'opposait et se ressemblait, le dessus et l'envers, le bas et le haut, l'avant et l'après n'étant que les extrêmes perceptibles, et momentanément maîtrisés, du gouffre de la mort. Craignant d'être prise au piège de ce paysage qui illustrait, par sa structure même, l'ampleur de ce gouffre, elle eut tout à coup peur. Elle arrêta une voiture et demanda de quel côté se trouvaient les deux anges à clairon qui gardaient l'entrée du cimetière.

On lui en montrait du doigt, mais elle faisait non de la tête. Ces anges étaient trop petits de taille, et leurs clairons ne portaient pas assez loin. Elle continuait de répéter sa question. Quelqu'un sut enfin de quoi elle parlait et indiqua le couchant où s'élargissait un trait de feu. En même temps, il ouvrit la portière et l'invita à monter.

Elle s'assit, étira ses jambes confortablement, et vit peu à peu se défaire le lacis de chemins qui allèrent finalement se dénouer à l'extrémité du champ où se tenaient, debout dans la lumière qui s'échappait des portes à doubles battants, les deux anges à clairon. En les apercevant, elle demanda qu'on la laisse descendre, et alla les examiner attentivement.

Elle crut comprendre, cette fois, pourquoi ils étaient deux. Obéissant à la loi de symétrie qui paraissait régir toute chose, le second reproduisait le premier de la même manière que le territoire des morts imitait celui des vivants et que l'univers des livres soufflait la bonne réponse aux dévoreurs de vérité qui la lui rendraient plus tard, sous une forme ou sous une autre. Cette loi offrait un avantage: elle pouvait s'inverser. Selon le lieu où l'on se plaçait, le second ange pouvait devenir le premier, la droite pouvait se déplacer vers la gauche, et la chose observée pouvait se convertir en livre, sans que le paysage n'en soit modifié ou que la vérité n'ait à en souffrir.

Sa promenade était terminée. Elle éclata de rire et salua les deux anges gaiement. Puis elle alla s'acheter une glace qu'elle vint manger au bord du trottoir, non loin du portail doré. Quelqu'un qui l'eût bien connue eût pu, à ce moment-là, en remarquant son avidité gourmande et ses gestes insouciants, reconnaître en elle l'enfant qu'elle avait été et qui, pour faire passer le temps quand elle s'ennuyait — et peut-être aussi pour se souvenir d'avoir existé — vidait un cornet de friandises, ou dévorait un bonbon en s'imaginant qu'elle le mangeait deux fois.

MONIQUE LARUE

L'Exposition*

Ce fut un printemps impatient et fébrile. Des excroissances poussaient un peu partout, chaque jour on voyait apparaître un tumulus nouveau, les échafaudages grimpaient aux murs de brique, des tunnels et des galeries se creusaient dans la terre comme dans nos corps en apprentissage, comme si cette ville avait notre âge, allait vieillir et disparaître avec nous. Du jour au lendemain, des rues redevenaient des chemins rocailleux, çà et là des égouts béaient, quiconque le souhaitait pouvait examiner les entrailles de Montréal, renifler ses flatulences sous les toiles, les bâches, les nappes de vinyle délimitant des champs opératoires pour ravaler, cureter, farder le visage de la ville, construire un métro sous son fleuve, fabriquer des îles dans le fleuve, grand fleuve anesthésié, sectionné, abouché, rétréci, de sorte que son débit ne serait plus jamais aussi puissant; on ne reverrait plus sa couleur vert émeraude ni les remous sauvages, témoins des temps où il n'y avait pas de ville. La chirurgie allait abolir l'éternité

*Extrait d'un roman en préparation.

du fleuve. Son lit serait asséché, remblayé avec des roches, de la terre, des débris de béton déversés jour après jour par des camions à benne qui formaient, sur le pont Jacques-Cartier, de lentes processions malodorantes qu'on suivait dans des autobus bondés, en grinçant des dents au bruit des marteaux-piqueurs, aux chuintements ahurissants des brosses, des polissoirs et des torches à acétylène. J'avais entendu à la radio que des tonnes d'anges en plâtre, de statues de la Vierge et du Sacré-Cœur, rendus inutiles par la désertion définitive des églises, avaient servi à l'opération. *Terre des hommes,* Sarah! Des hexagones, des pentagones, des tétraèdres, des plates-bandes fleuries, des canaux et des bassins, des trains-trains électriques circulant silencieusement sur des voies surélevées et, dans le noir des pavillons — chacun nettement identifié et décoré des signes distinctifs de son pays —, des écrans géants, des écrans divisés, des carrousels de diapositives cliquetant en désordre. «Nous te ferons la fête Sur une île inventée Sortie de notre tête.» On achetait son passeport, on montait dans l'Expo Express, on se retrouvait ailleurs. Une illusion, une flambée, Sarah. Une flammèche de plus. La jeunesse! À Montréal, du 28 avril au 27 octobre 1967, le Canada accueillait le monde entier pour son anniversaire et, comme si une tante lointaine nous avait emprunté le salon pour recevoir, on se lavait, on faisait le grand ménage, l'économie roulait, on rêvait, on voyait tout en neuf, l'avenir était clair, Sarah, il n'y avait aucun obstacle à l'horizon à ce moment, le seul à ma connaissance où Jeanne a pu s'oublier, oublier son secret, la chose informe qui la rendait si singulière et qui me lie à elle où qu'elle soit rendue, quoi qu'elle soit devenue maintenant, Sarah, car c'est elle qui dicte *in absentia* le récit par le truchement duquel tu apprendras fatalement ceci: tu es née de cet été-là. Un été fou, démesuré, dont tu es l'enfant, Sarah, que cela te suffise, il faut t'en contenter que tu aimes ça ou non, tu n'as pas le choix, Sarah.

J'avais décroché un emploi subalterne, dans un pavillon thématique. Quelques jours avant l'ouverture de l'Exposition, ma mère a reçu un appel de Québec. Sa voix un peu plus aiguë au téléphone, ses mots empruntés, ce ton unique qu'elle prenait pour parler à son amie Lucienne ont dû faire remuer en moi quelque sangsue, dans la vase, mais je n'ai pas fait attention. Puis, ma mère a raccroché et elle est venue m'annoncer que Jeanne travaillerait elle aussi à l'Expo. J'écoutais vaguement. Ma raison sommeillait encore, mais je sentais la bulle remonter, faire surface dans mon esprit léthargique de jeune homme qu'on dérange. Jeanne. Ma mère me tenait régulièrement au courant de ses activités, mais je ne l'avais pas vue depuis longtemps. Or, cet été, elle allait habiter avec nous. Elle l'avait invitée. Naturellement. Elle dormirait dans le boudoir. Dans deux jours elle serait là. On comptait sur moi. Tout était prévu. Une affaire de mères.

Nous vivions encore dans la grande maison en bois de Côte-des-Neiges. Mon père était mort, d'hypercholestérolémie familiale à quarante-cinq ans, comme son père et son grand-père, et comme je vais bientôt mourir moi aussi. À quarante-six ans, je suis déjà, par rapport à leur âge au décès, un survivant. Par une suite finalement bien courte d'accouplements, de conceptions et de naissances se sont transmis, inaltérés, les marqueurs de la maladie dont je souffre, liée à cette histoire génétique exceptionnellement fermée, alliée à d'autres facteurs, culturels, géographiques, diététiques. Des chercheurs de Chicoutimi l'ont démontré, les Américains s'y intéressent: à se reproduire à un rythme faramineux en endogamie forcée, la population dont je proviens a pour ainsi dire accentué certaines de ses caractéristiques dont cette fâcheuse tendance à accumuler du cholestérol dans les artères. Quelques générations de bûcherons, de paysans, durs travailleurs mangeant du lard salé tout l'été, et encore l'hiver dans les chantiers, ont engagé mon destin. Je puis observer à longueur de journée mes traits qui plongent dans le temps et font de moi déjà un fantôme. Un descendant. Je ressemble à mon père, au père de mon père, à mes oncles paternels et à mes cousins. Nous avons le front large, les cheveux implantés dru en avant, ondulés, presque crépus, abondants et foncés lorsque nous sommes jeunes, puis clairsemés, vers la quarantaine. Nos yeux sont bruns, ronds, et dans nos vaisseaux étranglés par les concrétions le sang circule par à-coups et mal, plutôt mal.

C'est moi qui ai ouvert à Jeanne. Elle restait plantée sur le seuil, ses valises en main. Elle portait une jupe à plis, longuette, et un chandail de fil crocheté. La varicelle, que bien entendu nous avions eue le même mois, dix ans auparavant, avait laissé des cicatrices sur ses joues et, pour une raison ou pour une autre, cela me parut renforcer l'idée, que j'ai toujours eue à son propos, d'une épreuve secrète, d'une âpre lutte passée. Ses cheveux tombaient devant ses yeux comme quand elle était enfant. Mais une mince ligne argentée, une bande prématurément blanchie, presque irréelle, zébrait le rideau épais qui s'est toujours interposé entre elle et les autres. Nous étions gênés, trop gênés pour parler même, mais j'ai tout de suite pensé qu'elle n'avait pas changé. En une seconde, par un clignement, peut-être, un recul léger, une manière de soupirer, quelque signal subliminal tout à fait dans son style, j'ai su que rien entre nous ne pouvait évoluer, qu'elle avait conservé tout son pouvoir sur moi, et que ce pouvoir comportait celui de nier que j'avais vieilli, que le temps avait passé, que nous n'étions plus des enfants du même âge dont les mères étaient elles-mêmes liées depuis l'enfance.

Ses yeux me regardaient doucement, établissant, rétablissant plutôt, leur emprise. Je reconnaissais aussi, comme si je l'avais vue la veille, le dédain qu'exprimaient ses lèvres minces, ce pli hautain donnant l'impression que l'air ambiant, le décor, les êtres humains en général, ou moi en particulier, dégagions une odeur, un relent que les autres ne percevaient pas et qui causait ce dégoût impossible à cacher.

Après la naissance de Jeanne, son père est venu travailler, durant quelques années, pour un bureau d'arpenteurs de Montréal. Nos mères se voyaient tous les jours. Toutes mes photos de bébé ont été prises avec elle. Moi joufflu, bon vivant sans doute, et à côté, sur le même plan, Jeanne, les yeux plissés, les sourcils froncés, un regard vaguement courroucé. Assis l'un à côté de l'autre dans la cuisine, chacun dans sa chaise haute; ou face à face dans nos poussettes de toile; à plat ventre sur une couverture blanche, au soleil, sur le gazon; soufflant ensemble la bougie unique d'un gâteau unique, les doigts et les joues barbouillés de chocolat. Deux albums de bébés identiques relatent l'histoire de notre croissance dédoublée et synchrone. Première dent, première bouchée solide, premier jus d'orange, premier jaune d'œuf, programmés par le même pédiatre.

Sitôt qu'elle s'est trouvée chez nous à Montréal, j'ai cessé d'être moi-même, si être soi-même c'est être ce qu'on est devenus. Jeanne me ramenait en arrière, me tirait vers une strate, un repli antérieur de ma vie qui était aussi moi, qui l'avait été, qui avait été fossilisé et qu'elle avait le pouvoir de revivifier. Son visage avait maintenant quelque chose de rageur qui aurait dû me faire fuir mais qui, bien au contraire, comme cela a toujours été, me donnait envie d'atteindre l'origine du malaise pour l'abolir, comme une rivière qu'on remonterait, dans des conditions de plus en plus difficiles, mais dont on serait toujours plus curieux de voir la source, marécageuse et spongieuse, impossible à identifier ou à localiser.

J'avais retrouvé un fardeau oublié, une éternelle responsabilité, des sentiments qui étaient nés et s'étaient développés pendant ces longues avant-midi dont je n'ai gardé qu'un souvenir type, cadré, celui d'une petite plage rude, en forme de croissant, pleine de cailloux gris charroyés par le fleuve, près de Notre-Dame-du-Portage. Des heures à jouer à ses jeux de fille, à vérifier à tout moment, d'un coup d'œil, si elle me tolérait, si elle m'aimait encore, si j'étais «aimable». Comprends donc ceci, Sarah, comprends-le à ma place, si tu le peux: en sa présence, je doutais obscurément de mon droit de vivre. Je n'étais pas digne de vivre. Je devais guetter, attendre les signes d'approbation et, comme une fleur recueille l'eau de la rosée, recevoir chaque jour une sorte de permission de Jeanne. Ainsi ta mère a-t-elle eu le rôle d'introduire dans ma vie, avant l'âge de raison, la réalité si étrange d'une autorité première, royale, despotique.

Elle avait des projets. Je faisais partie de ses plans. Dans le boudoir, avant de déposer ses valises, de regarder sa nouvelle chambre, de s'asseoir, elle m'a dit ces mots étonnants, qu'elle devait avoir longuement préparés: «Il faut que je couche avec quelqu'un.» Bien sûr, je n'ai rien répondu. Elle a répété: «Je veux faire l'amour. Cet été.» Elle se trouvait anormale de ne pas l'avoir déjà fait. À Québec, ce n'était pas possible. Elle dépliait devant moi des robes de coton fleuri, à pois, rayées, confectionnées par sa mère. Ses cheveux tombaient sur son visage mais jamais, jamais elle ne faisait le geste de les replacer, de les attacher, de les mettre derrière son oreille. Et si je repense maintenant à notre enfance, à cette époque, à la détermination avec laquelle Jeanne abordait ces réalités pour lesquelles personne n'avait jamais, autour de nous, pensé à nous préparer, et qu'il fallait aborder sans tradition et sans savoir, sans écrit et sans paroles, comme des incultes venus de nulle part, sans ascendants, sans legs ni leçon des morts, l'image qui me vient à l'esprit est celle d'un nain qui s'attaque à l'ascension des Rocheuses les mains nues, sans pic ni piolet.

Dès le premier jour, et tous les soirs qui suivraient, c'était entendu, nous sortirions dans Montréal. Elle me traînait dans les discothèques. Je l'attendais au bar, elle dansait. Elle revenait vers moi, l'air buté, et nous repartions ensemble. Elle ne se décidait sans doute pas à sauter la clôture. Je ne savais pas exactement ce qu'elle attendait de moi, je ne l'ai jamais su. Quand elle n'avait pas envie de danser, on allait dans un café de la rue de la Montagne. Elle disait n'importe quoi aux gens, pour se donner une contenance, parce que ce qu'elle était ne lui convenait pas. Mais c'est beaucoup plus compliqué que ça. Je l'ai entendue raconter qu'elle avait été victime, enfant, d'attouchements illicites de la part d'un oncle curé. Qu'elle avait longtemps vécu à l'étranger. Que son père était un sculpteur français qui vivait à Paris et qui l'avait abandonnée ici. Je n'aimais pas ces fabulations, mais j'y participais par mon silence. Elle me faisait passer pour son frère, son cousin, son amoureux, selon les circonstances et ce qui l'arrangeait.

Ensuite, pendant quelques semaines, je ne l'ai plus vue. Mais je savais bien, je n'ai jamais cessé de savoir que ma vie ne serait jamais séparée de la sienne. C'étaient des jours inoubliables. Je me souviens d'avoir marché des heures dans les sentiers de l'Exposition, écoutant toutes ces langues, ces accents inconnus du français. Je n'avais jamais quitté mon pays et c'est à ce moment, Sarah, aussi ridicule que cela paraisse maintenant, que j'ai pris conscience de mon ignorance. Je m'emplissais la tête des noms de lieux, de personnages et de dates célèbres. J'avais vécu dans des quartiers homogènes et tranquilles. L'Exposition me tirait d'un étau dont j'avais ignoré l'existence, qui ne m'avait jamais pesé et dont je constatais seulement la réalité insoupçonnée. Le vaste univers m'intéressait beaucoup plus que l'obsession monomaniaque de Jeanne pour les choses sexuelles, comme elle disait. Je visitais les restaurants, imaginant dans les nourritures, dans les odeurs, dans les matières du reste du monde, des métropoles sensuelles et interdites, des steppes aux lois cruelles et barbares, l'envers informe de la culture étroite et limitée que l'on m'avait transmise: latin, grec, bribes défaites d'une histoire nationale désespérante et désespérée. Le monde n'avait aucune limite possible. Personne ne m'avait parlé de cette liberté-là. Je ne voyais plus Jeanne. Elle rentrait tard le soir et elle n'avait pas les mêmes horaires que moi.

Puis, une nuit — il me semble aujourd'hui que c'était le soir de cette déclaration du général de Gaulle qui a suscité tellement d'enthousiasme, mais cela n'est probablement qu'un effet nostalgique typique, un cliché historique, Sarah — une nuit où l'enfance allait s'enfoncer d'un cran, Jeanne est venue me trouver dans ma chambre. Je dormais. Elle m'a touché l'épaule et je me suis réveillé. L'odeur des fleurs de seringa entrait par la fenêtre. Jeanne flottait dans une culotte courte, légère, sur laquelle tombait une ample blouse sans manches, ce qu'on appelait un *baby doll*. Les phares des voitures balayaient par moments sa silhouette, rayée par l'ombre des lames d'un store vénitien fermé du côté de la rue. «Fais-moi de la place, je veux te dire quelque chose.» Elle s'est assise au bord du lit. Je me suis poussé le plus loin possible contre le mur. Je sentais son savon, son haleine, son dentifrice, mais surtout je voyais ses seins et j'étais muet, la gorge sèche, comme un garçon qui ouvre par mégarde la porte d'une chambre et qui surprend sa mère toute nue. «Je l'ai fait. J'ai couché avec quelqu'un.» Elle épiait ma réaction avec un air qui me sembla dénué d'affection, presque cruel. Je restais immobile pour parer au coup soudain, violent, qu'elle me portait encore, comme lorsque dans le sable elle écrasait mon château d'un coup de pelle décisif et parfait. J'aurais voulu me rendormir par magie, la renvoyer à l'irréalité du rêve et de la nuit. J'étais humilié. Je me sentais trahi, non par elle mais par la vie. Je n'avais pas cru cette chose possible et je souffrais de mon imbécillité. Pourtant, il n'y avait aucune raison de se sentir humilié ou trahi.

Elle m'a embrassé et elle est repartie. Une larme ultime roulait sur ma joue où je sentais encore la trace insultante de sa bouche. J'étais incapable de me comprendre, de lire en moi-même. Le tonnerre grondait et craquait, très loin de Montréal. Les pivoines et le seringa emplissaient l'air d'un parfum tangible et dense comme l'huile. Il commençait à faire clair, et les bruits de décompression des premiers autobus me parvenaient du boulevard Édouard-Montpetit. Au déjeuner, devant l'éternel seau de miel Honey Bee, j'ai compris que je n'avais pas rêvé. Jeanne était assise devant moi, changée déjà, maquillée, les lèvres pâles, une ligne épaisse tracée au pinceau sur les paupières. Elle voulait absolument que je «le» rencontre. «Il» s'appelait Marc Martin. C'était «l'amour». Il fallait des contraceptifs. Rendez-vous le soir même devant le pavillon américain. Son «amant», comme elle disait ridiculement en chuchotant, travaillait dans une boutique de cadeaux à l'Expo. «Je l'aime», déclara-t-elle pompeusement. «Il faut qu'il te connaisse.»

J'aperçois d'ici la sphère vide de l'architecte Buckminster qui séduisit tous les Montréalais et qui a brûlé quelques années plus tard. C'était un des pavillons les plus achalandés de l'Exposition. Les gens faisaient docilement la file pour entrer. Je les ai vus de loin. Elle avait abandonné ses robes et portait un jean, une chemise blanche, des bottes de Californie. Un homme plus âgé que nous, dans la trentaine certainement, fort, élancé, avec de longs cheveux noirs luisants attachés en queue de cheval, était penché sur elle et l'embrassait. J'ai voulu me perdre dans la foule, mais Jeanne m'avait repéré. Elle a fait les présentations avec un sourire maniéré. Il avait la peau du visage nue et lisse, sauf à quelques endroits où poussaient des poils très noirs, séparés les uns des autres, attirant le regard. Son menton était carré, et, quand il souriait, tout son visage s'ouvrait, s'éclairait extraordinairement. Nous avons tout de suite sympathisé. À la brasserie allemande de l'Expo, puis ailleurs, je ne sais plus où, nous avons passé toute cette soirée et une partie de la nuit ensemble. Le trio s'est formé de cette façon, avec l'enthousiasme, la spontanéité des jeunes gens, puis, tout a continué jusqu'à la fin de l'été. Sa présence nouvelle, ma présence dans le couple qu'ils formaient étaient si naturelles que je n'aurais jamais cru devoir repenser un jour à cet été de 1967, Sarah. Un été si joyeux qu'il me semble que j'ai le droit d'écrire que Jeanne a été heureuse. Les plus grincheux sortaient de l'éternelle dépression, de la mélancolie héréditaire. Le soir, nous allions au pavillon de Cuba boire des rhum et coke baptisés pour la circonstance des *Centennials.* Il y avait une petite piste où Martin, qui avait été *barman* sur la Côte-Nord et qui avait appris à danser dans les hôtels, entraînait Jeanne, le corps droit, les traits immobiles, l'œil inexpressif. Moi, je ne sais pas danser. Et il me semble parfois que toute ma vie j'aurai été ce spectateur assis, regardant de loin les danseurs mimer la passion ou se laisser réellement emporter par elle, qui sait? C'est par une danse que l'été s'est terminé, Sarah. Et cela me fait quand même un tout petit peu mal de raconter tout ça.

MADELEINE MONETTE

L'ami de lettres

Et si la fiction tirait à soi la réalité?

Il n'aimait pas Renaud, non, Francis n'avait même jamais succombé à la fascination de l'écrivain, jugeant que son métier n'était pas plus reluisant que les autres, ne voyant pas pourquoi il aurait estimé un artiste tourmenté plus qu'un ouvrier éreinté, une vedette de la pensée plus qu'un héros du ring, lui à vrai dire préférait les grandes bêtes de la boxe, les footballeurs à l'audace aveugle, il ne suffisait quand même pas de rendre publiques les manœuvres de son imagination pour s'attirer sympathie et admiration, d'ailleurs à l'impudeur résignée se mêlait bien quelque présomption, non, Francis n'aimait pas Renaud, d'autant qu'il avait immédiatement senti Clara frémissante en sa présence.

Ce soir-là, entre deux séances de lectures publiques, elle avait fait le grand saut en soumettant à l'auditoire son premier documentaire, sur la variété extraordinaire d'animaux et de plantes qui dépérissaient sous les pluies acides aux alentours de la ville. Debout à l'ombre de l'écran, tournée vers la luminosité verte des sous-bois, les grouillements infinis des sols spongieux, les froissures soudaines des eaux allumées par le soleil ou les champs enfumés par les brumes meurtrières de l'aube, elle avait semblé une géante prête à cueillir dans sa main tant un étang qu'une foule, tant un spectateur qu'un perdreau. Galbée dans une robe rouge, sa nuque courbée sous le joli crâne que découpait une coiffure presque rase, elle avait une silhouette si attendrissante dans le clair-obscur mouvant, comment n'aurait-on pas spontanément épousé sa cause, voulu ce qu'elle voulait? Évidemment Francis était gagné d'avance, toute liberté amoureusement aliénée, mais il aurait signé pétition ou chèque en blanc, uniquement dans l'espoir qu'elle cesserait de se tourmenter.

Après le spectacle, à la réception en l'honneur des écrivains qui s'étaient faits pour la circonstance «grands imagiers de l'écosystème» selon les mots du présentateur, Clara avait laissé Renaud lui parler jusqu'aux mollesses dans les jambes et aux raideurs dans le dos, vibrante et rieuse, s'enveloppant si volontiers dans son excitation qu'un hors-d'œuvre lui aurait flétri entre les doigts avant qu'elle ne songeât à l'avaler, si Francis n'était passé le lui enlever doucement, sans même qu'elle s'en aperçût.

Renaud était maintenant un ami de la famille, et Francis qui n'arrivait toujours pas à le saisir, ni surtout à mettre le doigt sur ce qui le repoussait en lui, avait entrepris à son corps défendant de le lire. Clara était partie de bon matin filmer la flore de terrains marécageux aux abords du fleuve en lui annonçant qu'elle ne rentrerait qu'en début de soirée. Tandis qu'il se colletait avec les phrases interminables du premier roman, luttant contre sa sourde aversion et nageant à contre-courant, tandis qu'il s'étonnait des personnages de femmes qu'inventait l'auteur, volontés inapaisables et intrépides sous des dehors incertains, intelligences déroutantes dans des corps sexuellement dociles, d'une maniabilité ingénieuse, petites personnes anguleuses au courage nerveux mais leste, aussi blanches de peau que riches en odeurs, capiteuses, oh! les bras déliés et dénudés, oh! les réconfortantes incohérences comme un rappel de sa propre humanité, le temps s'était rembruni sous des nuages si bas qu'ils effaçaient le haut des immeubles et d'un gris si sale que Francis avait cru qu'il y avait le feu, en levant la tête des pages soudain trop sombres.

❑

À midi Clara est rentrée en coup de vent. Il a vite glissé le roman sous le coussin de son fauteuil, pourtant il ne faisait rien de mal, juste ce qu'on avait envie de faire lorsqu'on fréquentait un auteur.

Sa bicyclette sur l'épaule pour redescendre le long escalier extérieur, Clara ne lui a pas accordé un seul regard en lançant que le jour était trop fade pour tourner et que l'équipe allait faire une randonnée d'exploration au bord de la rivière des Prairies, elle était si pressée de repartir, ses yeux plus rapides que ses pas l'emportant loin déjà.

Elle allait traverser toute l'île? Par ce mauvais temps? Quand le ciel allait leur tomber dessus d'une minute à l'autre? s'est-il écrié avec une inquiétude bourrue qui a tourné aussitôt en vague affolement.

Mais non! Les vélos resteraient dans la camionnette jusqu'à la piste cyclable. Renaud venait de se joindre à la bande qu'il invitait à goûter sa bière maison en fin d'après-midi, dans son nouveau logement près des écluses. Lui avait-il toujours l'intention de mettre de l'ordre dans ses tiroirs? C'était sa meilleure idée depuis longtemps, a-t-elle dit sans presque s'arrêter. Puis la porte d'entrée s'est refermée sur elle, dans un branlement de vitre aussi dangereux que familier.

Dépité, rendu à sa solitude comme un enfant recevant une gifle non méritée, Francis a tardé à identifier sa fureur et à se précipiter à la fenêtre. L'atmosphère s'était alourdie d'une lumière menaçante qui redessinait brique par brique toutes les façades du quartier. Dans le lointain il a vu la camionnette enfiler la rue Delorimier désertée le dimanche par les banlieusards qui boudaient le fleuve et restaient chez eux. «Légers et indifférents, les héros embrassaient l'aventure», a-t-il feint de se raconter à mi-voix.

Il a mangé au bout de la table, ne goûtant rien et ne comprenant rien au journal déplié près de son assiette, tant il était impatient de retourner à son projet. La bouche brûlée par une gorgée de thé distraite, ne sentant plus de temps à autre que la cloque moelleuse qui enflait son palais, il s'est absorbé dans le deuxième roman dont l'intrigue ne lui était pas étrangère, avec cet amant un peu louche malgré ses petites générosités inspirées, qui sûrement finirait par dépouiller sa belle. N'était-ce pas aux mains d'un tel personnage que Clara avait perdu ses bijoux de famille et une partie de ses économies cinq ans plus tôt, victime de son attrait pour les allures un brin délinquantes? Mais la Myrna de l'histoire était dans d'autrement mauvais draps, oui, déjà son cou ne valait plus cher selon Francis, et c'était terriblement troublant, à cause de ses seins aux grandes aréoles presque noires, comme celles de Clara, de ses cheveux léchant sa nuque en mèches effilées, de ses pieds d'une perfection exquise aux ongles toujours rouges, de ses jarrets et saignées de bras toujours veloutés de crème parfumée, comme ceux de Clara...

Il a terminé le roman ainsi qu'il aurait fait cul sec, aussi avide qu'insensible à lui-même. L'ayant refermé sur ses genoux, il a coulé dans le silence vertigineux de l'appartement, plus paniqué que si on l'avait poussé dans le vide. La publication datait de deux ans plus tôt, et la soirée de lectures de six mois seulement, mais depuis quand donc Renaud et Clara se connaissaient-ils?

Il a tâché de se ressaisir en faisant une expédition à la cuisine, où il n'a rien trouvé à faire que de contempler fixement le contenu du réfrigérateur et de baisser les stores sur une nuit prématurée, le ciel ayant pris dès le matin un brun crépusculaire. Hors de lui, distant des choses, il éprouvait que ses lectures de la journée déréalisaient sa vie. À son retour au salon, happé de nouveau par la force apeurante de ses soupçons, il a tiré un autre roman de la bibliothèque.

Il se serait dispersé dans mille petites méfiances, si une sorte de griserie hâtive ne l'avait porté jusqu'au quatrième chapitre où le motif du récit a commencé à se faire jour. Une jeune fille séduisait des hommes d'âge mûr qu'elle conduisait à ruiner tout ce qu'ils avaient établi à grand-peine, de sorte qu'ils auraient vécu avec elle dans les bois ou sur une péniche si elle avait voulu, puis elle les abandonnait à la nouveauté de leur ferveur et de leur disponibilité, dans un simple baiser qu'elle déposait du bout des lèvres sur leur sexe et qu'ils devinaient être le dernier avec une résignation surexcitée, savourant la légèreté du toucher et pleurant ce terrible ange de bonté.

De plus en plus chicaneur, Francis avait décidé que les charmes graves et maussades de l'adolescente étaient agaçants, lorsqu'il s'est mis à aller fouiller dans la commode et la penderie de Clara à tout moment, tremblant de prendre dans ses mains tels dessous ou telle parure dont il venait de lire la description, faisant voler chemises et jupons autour de sa tête, plus agité qu'un jeune chien secouant dans sa gueule un oreiller de plume. Aux trois quarts de l'ouvrage, parmi un désordre d'effets personnels lui évoquant les couvertures de romans policiers, il a été terrassé par une horreur tranquille. Plus Renaud écrivait, plus il traçait par touches éparses un portrait de Clara, menteur incapable de taire plus longtemps un secret et courant vers la satisfaction épouvantable de l'aveu, imbécile aspirant au bonheur de la mort et arrangeant la fin du plaisir protégé. Lentement, Francis a continué de tourner les pages devenues raides et lourdes, jusqu'à ce qu'un passage l'eût arrêté court. «Elle lui avait donné rendez-vous en face des écluses, poursuivait le romancier, dans la garçonnière qui servait de cabinet d'étude à son père et dont elle subtilisait souvent la clé. Allongée sur la moquette au pied de la baie vitrée, la tête remplie des amples grondements d'eau du barrage, il lui semblait qu'en s'enroulant dans ses voluptés elle verserait d'un instant à l'autre dans les remous...»

Francis a lancé le livre contre le vaisselier. Sa fougue lui donnant des ailes, il a attrapé un imperméable et s'est rué vers sa voiture.

❑

L'esprit en déroute, il a ressassé pendant tout le trajet une image invraisemblable des écluses où deux corps se rhabillaient derrière la cascade en riant, abrités par son fracas éblouissant. Ayant suivi la rive jusqu'à l'ouvrage hydraulique illuminé, qui devait désorienter les chers animaux aquatiques de Clara et qui défigurait sans remords le paysage, il s'est garé dans la cour d'un immeuble moderne le dominant. Il n'y avait pas de bicyclettes dans les parages, toutefois l'heure de l'apéritif était passée, et la camionnette avait pu les rapporter. Une secousse de vent accompagnée d'une pluie d'abat, cinglante et drue, a poussé Francis à enfiler l'imperméable jeté sur le siège arrière. Il était à Clara, épaules trop étroites et manches trop courtes. Le visage déjà ruisselant, Francis se moquait de son apparence. Du côté de la rivière, de grands châssis de verre quadrillaient le mur, dont un seul n'était pas fermé de rideaux. Francis a compté nerveusement les étages, c'était au sixième.

Au sortir de l'ascenseur, palpitant d'un émoi insupportable qui confinait à la jouissance anxieuse, tant il était imbu de sa clairvoyance et confiant dans son intuition, il a tourné précautionneusement les boutons de toutes les portes. L'une d'elles s'est ouverte sur la pénombre d'un grand salon abouché avec le ciel et semblant flotter au-dessus des écluses. Quel immense et cruel sentiment de triomphe! ils étaient là! quelle terrible et absurde satisfaction! quelle débordante fierté l'emportait sur la douleur et la colère! Renaud et Clara étaient là comme il s'y attendait! hébétés et désemparés! plus morts que vifs! quelle victoire c'était sur les dissimulations sans doute innombrables et les allusions contraintes de l'écrivain! il avait donc eu raison! son intelligence n'était pas démentie! oui, quelle victoire intenable! Et soudain il a souffert de sa misérable supériorité, en serrant les bras sur son imperméable étriqué.

LORI SAINT-MARTIN

La grâce de Dieu, sa main

Lorsque Marie vivait encore dans l'émerveillement de la grande ville, elle marchait tout le jour, rentrait épuisée de soleil et de bruit. Dans sa petite chambre d'étudiante, le soir, elle fermait les yeux, laissait déferler les images. Le matin elle repartait, et devant elle la ville s'ouvrait, dense, pressante, vaste dans son étendue.

Le village natal de Marie comptait deux rues dans un sens et trois rues dans l'autre. Un dépanneur, une épicerie, une Caisse Populaire, un salon de quilles. Un petit bureau de poste, une taverne, une belle église et une mauvaise école. Seule une attention de tous les instants lui avait permis l'évasion, les prix, les meilleures notes toujours, toujours. Les mots l'avaient sauvée, tant de pages noircies pour se montrer la plus brillante, puis les formulaires à remplir, des mots et encore des mots, un échange de lettres et l'offre d'une bourse, et un jour de fin d'été elle fut libre de se promener dans la grande ville, du matin jusqu'à la nuit tombée.

Visages connus, airs connus, au village personne n'étonnerait jamais personne. Et puis les rumeurs, les cancans, la voiture de Jean garée toute la nuit devant chez

Louise, la petite Michelle dont on disait que son père l'aimait trop. Les chuchotements, les regards en coin. On leur appartenait, notre histoire leur appartenait. Dans la grande ville Marie marchait, lisse et anonyme, sans histoire. Elle prit plaisir à se savoir sans nom pour tous ces gens, une passante dans la ville, dans un restaurant où elle lisait à une petite table de coin, dans la file devant un cinéma, dans un autobus bondé. Ville-Babel, babil des langues du monde dont Marie écoutait, ravie, la musique.

Et les pharmacies et les cafés, les théâtres et les grands magasins, et les taxis, la vitesse, et les lumières, les lumières, forme et couleur et bruit et mouvement, Marie avait adhéré à la grande ville, se laissait dévorer par elle. Elle marchait, éblouie. Même les embouteillages qui paralysaient les heures traduisaient pour elle une vitalité impossible à contenir. Elle s'égarait avec délices, elle marchait les yeux levés, comptait les étages des tours qui se perdaient sous le soleil droit.

Jamais elle ne manquait un seul cours, fébrile et silencieuse, ses cahiers se remplissaient de paroles, sa chambre de livres. Et puis elle repartait, lire, écrire, ou marcher. Toutes les portes étaient ouvertes, les musées et les bibliothèques, l'université du centre-ville et l'université de la montagne, et le soir les églises anciennes se remplissaient de musique, et le soir des acteurs donnaient corps et voix à des rêves d'écrivains. Marie était là, ou elle aurait pu être là, il lui suffisait de savoir qu'à côté vivaient et respiraient des inconnus pour être tout à fait heureuse.

❑

Puis un jour, la grande ville prit pour Marie un seul visage. À un lancement tenu à l'université, elle rencontra un poète. Elle n'avait jamais fait de lien entre les livres et les gens, imaginé qu'elle pourrait connaître un écrivain. Chez ses parents il n'y avait pas eu de livres, sinon de rares best-sellers, ou quelques romans d'amour, de loin en loin. Elle regarda le poète avec tant d'insistance qu'il finit par la remarquer. Le poète était né dans la grande ville, il aimait le regard des très jeunes femmes. Il invita Marie à prendre un verre chez lui.

❑

Au village, quand on se promenait par un soir d'été, on saluait de la tête les gens assis sur leur perron, on disait «bonsoir». Dans la rue, au début, Marie regardait les gens dans les yeux, souriait, offrait d'aider les perdus. Peu à peu, elle apprit la peur, la méfiance. Elle se composa un visage de circonstance, ne regarda plus personne. Démarche rapide et compassée des villes, rythme saccadé des hauts talons coupant les pavés. On se transportait au centre de la foule et on gardait ses secrets.

❑

Le poète habitait, au dernier étage d'une tour, un vaste studio à peine meublé, largement ouvert sur la ville. À peine arrivée, Marie se précipita vers l'une des fenêtres. Le poète la regardait regarder, séduit et un peu effrayé. Il y avait longtemps qu'il n'avait vu de regard si jeune. Il se rapprocha d'elle et se mit doucement, par derrière, à lui caresser les seins. Devant la ville et la grande fenêtre nue, le poète devint cette nuit-là le premier amant de Marie.

❑

Le poète habitait loin et il n'avait pas le téléphone. Alors elle prenait le métro et elle se rendait chez lui. Parfois il lui ouvrait, l'air content ou ennuyé, parfois elle entendait une rumeur mais il ne répondait pas.

❑

Les stations de métro lui faisaient l'effet de cathédrales renversées, creusées au plus profond de la terre. Ainsi la voix de la femme ne lui sembla pas déplacée.

Elle pouvait avoir quarante ans, ou cinquante, peut-être davantage, tant elle avait oublié son corps. Son visage était livide et son regard aveugle; elle portait les uns par-dessus les autres plusieurs chandails multicolores dont certains étaient troués. Une folle, sans plus, les gens souriaient, la pointaient du doigt. Sans les voir, elle se tenait debout au milieu de la voiture, elle parlait, parlait, d'une voix égale, sans feu. Elle ne semblait pas réciter un texte appris par cœur, mais trouver en elle une source de mots intarissable. Elle respirait à peine, et toujours les mots, les mots, à vous étourdir, à vous submerger.

> Jésus est toujours là, il vous regarde il vous voit, ses yeux sont des feux il brûle les incroyants les menteurs les voleurs il vous brûle il vous

Chaque fois que Marie prenait le métro, cette femme s'y trouvait. Marie comprit enfin que la femme y était toujours, que le métro était devenu sa vie.

❑

Elle savait, au fond, qu'elle n'existait pas vraiment pour lui. Elle était intermittente, aléatoire, tandis que d'autres, une autre, lui étaient peut-être essentielles. Il l'oubliait aussitôt qu'elle avait franchi la porte de son studio, parfois avant. Elle savait tout cela, pourtant une obstination muette la faisait retourner chez lui, la faisait traverser la ville en métro, la faisait attendre des heures devant une porte fermée.

❑

Et la femme était là, toujours, elle parlait de sa voix égale, une voix de fond, une voix de noyée, le regard absent.

> Jésus c'est le ciel, il vous prend par la main et vous reconduit, merci doux Jésus vous voyez les garçons là-bas ils mangent des pêches, les arbres sont pleins autant qu'ils en veulent, le ciel est dans le goût des pêches, j'ai hâte moi d'être au ciel.

❑

Une fois la rame arriva et s'immobilisa au bord du quai. Les voyageurs qui se bousculaient virent alors qu'elle était vide, malgré l'heure de pointe. Un enfant étonné posa la main, les cinq doigts écartés, sur une vitre. La rame repartit, les portes bien closes. Personne ne prononça un mot, la foule, sur le quai, s'épaissit davantage.

❑

Le fleuve et la montagne, la vitesse, et les lumières, les lumières. Mais aussi les rues jonchées de papiers, et les murs lambrissés d'affiches déchirées, et les cinémas porno, les mains tendues au coin des rues, les murmures, les misères qu'on devinait confusément, la folie nue. Au village aussi il y avait des fous, mais on connaissait leur nom, leur famille, on connaissait les mots qui les apaiseraient. Ici contre la folie on n'était pas armé, on ne pouvait que détourner les yeux, presser le pas, ou encore écouter, subjugué, une voix dans le métro.

❑

On riait de l'autre côté de la porte, chez le poète, des éclats de voix parvenaient jusqu'à Marie, debout dans le corridor, la main sur la sonnette. Contre l'ennui étale de son village elle avait trouvé un remède: le départ. Contre la porte fermée il n'y en avait aucun.

❑

> Dans sa main dans sa main dans sa main tendue, il vous tient toute la nuit, tout le jour il vous tient et son amour est tendre, son amour est divin, la grâce de Dieu vous tombe dessus comme la pluie, sa main

Sans trop s'en rendre compte, Marie avait laissé passer son arrêt. Les stations défilaient, elle ne se levait pas. Elle écoutait la femme, et la voix de la femme la berçait, lui parlait de pêches et de paix retrouvée, d'une main tendue, d'un amour sans faille. Ensemble, sans se regarder, elles traversèrent la ville de part en part. Marie avait cédé au charme de cette voix sans charme, de cette voix, toujours la même, une voix de folle ou d'ange, qui sait, la voix de la grande ville enfin possédée.

LISE GAUVIN

Le rendez-vous

Comme toutes les marquises romanesques, je sortis de chez moi à cinq heures précises. Son coup de téléphone m'avait surprise au beau milieu d'une journée sans histoire, passée à contempler des murs blancs et une page blanche, sans histoire également. Il m'avait donné rendez-vous en fin d'après-midi à la terrasse d'un café connu. J'avais accepté, prétextant des courses à faire dans le quartier. Il faisait beau. C'était une de ces journées de la fin de septembre que l'on prend parfois pour l'été des Indiens. À tort, puisque l'été des Indiens arrive généralement plus tard et sans crier gare, quand les premières gelées ont commencé. C'était donc un de ces après-midi de nonchalance et d'efficacité déclinante. Pourtant, je n'avais plus tout à fait le temps de perdre mon temps. J'avais déjà une ou deux vies derrière moi et quinze devant. C'est surtout cela qui compte, les vies à venir ou à rêver.

Une ou deux vies, c'est-à-dire un mariage et deux divorces. Ne cherchez pas à comprendre, c'est comme cela. J'habitais une cage de verre avec vue imprenable sur la ville. Les jours de grand soleil comme celui-ci, il était impossible de prendre l'air sur le balcon. Même ma pièce de travail était intenable. Christine, ma fille, m'avait suggéré de changer l'orientation de mon bureau. Mais je n'y pouvais rien. J'étais comme une mouche, attirée par le soleil jusqu'à en être soûle. Mis à part cet instinct que j'avais de me coller aux vitres, j'étais à peu près saine d'esprit et de corps.

Le rendez-vous avait été pris sans trop y penser. J'avais dit oui négligemment. Simplement pour sortir. Ou peut-être pour autre chose. Qui sait? Les jours sont si monotones. Je m'inventais marquise et mimais ma propre histoire. Une marquise ordinaire, bien entendu. Ni plus ni moins banale que les autres êtres de fiction. Je n'avais plus qu'à me suivre à la trace. À m'accompagner gentiment. Mais attention. Je marche vite.

Je m'étais faufilée au travers des groupes du parc de l'Esplanade, en évitant de heurter deux ou trois infatigables joggers, j'avais fait un clin d'œil à la croix du mont Royal, puis m'étais engagée dans l'avenue qui longeait le parc et en portait le nom, juste après la bibliothèque dont les grandes fenêtres donnaient sur la montagne. J'empruntais cette avenue aussi souvent que je le pouvais. Elle me paraissait l'image concentrée du Montréal spectaculaire et baroque que j'affectionnais. Rien n'était plus imprévisible que ce jeu des façades, dont l'une évoquait l'architecture d'un palais roman, avec ses arches monumentales, l'autre, la ville américaine en béton nickelé, ou plus banalement encore, la maison montréalaise cossue du XIXe siècle, d'inspiration anglaise. Aux limites de la ville bourgeoise, l'avenue tirait déjà vers l'est avec ses nombreux escaliers extérieurs et l'air de se ficher des canons de la rénovation urbaine. La plupart de ces maisons attendaient qu'un courageux propriétaire ou un promoteur ambitieux les aide à retrouver leur éclat légitime.

Pour le moment, toute l'attention était concentrée sur les jardins. Et cela était d'autant plus remarquable que l'espace était minuscule et donnait sur la rue. La vie d'abord, disaient ces mondes clos et joyeux. Ceux-ci offraient à mes regards indiscrets ou bien des fleurs qui paraissaient exotiques à force de croisements miraculeux, ou bien des plants chargés de légumes dont l'abondance même, au mètre carré, tenait du prodige. Chaque jardin traduisait une culture différente et renvoyait à un art de vivre et de manger qui me faisait saliver. *Buon giorno, senora,* me lança un horticulteur ravi de mon attitude admirative.

Je me rendis jusqu'au bout de l'avenue de l'Esplanade, puis tournai à gauche dans la rue Duluth, qui me mènerait vers des artères plus bruyantes et plus achalandées. Cette rue cherchait désespérément à se donner des airs de campagne à la ville, avec ses commerces de meubles décapés, ses restaurants décorés de plantes vertes, ses arbres en pots et même sa librairie ésotérique. Mais, là plus qu'ailleurs, on avait l'impression que la vie était absente et comme en sursis.

J'avais préféré me rendre à pied au lieu du rendez-vous, croyant avoir ainsi davantage le temps de réfléchir. Plusieurs questions restaient sans réponse. Pourquoi avoir accepté aussi rapidement? Qu'allais-je faire en cet endroit? Et cet homme, existait-il? N'était-il pas la plus belle de mes fictions? ou la plus étrange?

J'aurais aimé revoir le film de notre rencontre. Seuls certains moments me revenaient en mémoire.

Je n'avais fait aucun geste, aucun mouvement. Je me contentais de le regarder calmement pendant qu'il parlait à une autre. Bruit des voix autour de nous. Assourdissant ballet de la reconnaissance mondaine. Sourires de rigueur. Soudain, nos regards se croisent. Il vient vers moi. Qu'a-t-il dit au juste?

Je n'arrivais pas à reconstituer le scénario avec exactitude. Mes souvenirs se bousculaient, se livraient bataille. Tout se brouillait dans ma tête. Au coin de la rue Coloniale, quelqu'un m'a saluée au passage. Il m'a semblé le reconnaître, mais je ne lui ai pas rendu son bonjour.

Je lui avais répondu en déclinant mes nom, statut et qualité, comme sur les cartes de visite que les gens d'affaires ne manquent jamais de vous laisser en vous quittant. Il m'avait dit être fasciné par cette autre femme que j'avais été jadis. La même, répétait-il, toujours la même. C'était à mon tour maintenant de reconnaître cette voix, cette tonalité si familière qu'il me semblait n'avoir jamais cessé de l'entendre, jusque dans les silences de mes agitations laborieuses.

Soudain les images se précisent, s'échelonnent en grappes dans ma mémoire. Je les vois émerger de ce temps que je croyais aboli. Que s'était-il passé?

Nous avons vingt ans. Nous n'avons pas encore appris le monde et son étrangeté. Notre étonnement est sans limite, comme notre désir. Nous improvisons les jeux graves des adultes avec l'air d'enfants espiègles surpris de leur propre pouvoir. De parole en parole, de balade en balade, nous croyons échapper aux soliloques antérieurs. Il neige. Folles équipées. Parcours inédits de la tendresse. Vagabondage sans fin. Dans la douceur du paysage recommencé, nous inventons la complicité des gestes quotidiens. Puis, brusquement, nous cessons.

J'avais voulu oublier ces instants, les nier, en effacer jusqu'à la trace. J'avais voulu d'un seul coup tout annuler. Je m'étais conviée moi-même à une seconde naissance, que j'avais scellée en donnant à mon tour la vie.

Notre saison avait été brève. S'en souvenait-il?

Je marchais depuis près d'une heure. J'avais dépassé le carrefour de l'avenue des Pins, puis emprunté la rue Saint-Denis qui devait me mener à l'endroit où se trouvait le café. Arrivée à la hauteur du carré Saint-Louis, je vis qu'il y avait du monde, beaucoup de monde. De tous les milieux et de tous les sexes. Je m'étonnais de voir de plus en plus de femmes clochardes. L'une d'elles me regarda d'un air narquois. J'essayai de détourner la vue, mais n'y arrivai pas. Alors je me suis rapprochée. La femme était naine et légèrement bossue. Elle avait les cheveux tirés vers l'arrière à la hauteur du front. Le reste de la chevelure tombait en mèches filandreuses sur le cou. Il émanait de cette créature un curieux mélange de jeunesse et de sénilité.

À petits pas sautillants, elle parvint à m'encercler. En position de repli, je pensai lui crier de me laisser passer, mais me ravisai. La vieille petite fille ne quêtait pas. Elle se contenta de me scruter avidement, d'un peu plus près encore et, juste avant de me quitter, elle murmura:

«N'y va pas, ma grande, n'y va pas.»

«De quoi se mêle-t-elle?» pensai-je avec irritation. Je traversai la rue, vis que toutes les places étaient prises à la terrasse du café. Aucun visage connu ne s'y trouvait. Un retard était toujours possible. Mais pourquoi attendre? Des couples passaient, qui se tenaient à distance, car la soirée était encore jeune. Une certaine moiteur de l'air invitait à continuer la route. Il faisait si beau. Un soleil encore vertical surplombait la ville.

Nous n'étions pas ce jour-là au rendez-vous que nous nous étions nous-même fixé. Nous avions décidé de passer outre.

Comme une vraie marquise, je sortis de chez moi à cinq heures et rentrai à six heures trente-quatre pour préparer le repas.

CLAIRE DÉ

Débâcle

Elle aurait étiré la main vers son sac, en aurait sorti un sachet.

— Capote.

— Je m'en occupe.

— Non, c'est moi.

Finalement, ç'aurait été à la fois elle et lui qui l'auraient installée; elle, en pinçant l'extrémité, lui la déroulant. La femme aurait considéré l'homme.

— Hum... *molto elegante*, aurait-elle dit.

— Tu parles italien?

— Zé souis trrrrès douée, pour lé langues, aurait-elle répondu, en fourrant la sienne dans sa bouche.

Dehors, sur une planète transformée en poubelle, dans un monde ensanglanté, hérissé d'armes, pourri d'égoïsmes et de rancunes, Serbes et Croates s'entre-déchirent, Haïti et Mozambique crèvent de misère, Amérique du Sud, Afrique et Asie étouffent sous la tyrannie, la famine et l'analphabétisme, dehors le racisme à groin de goule gronde et montre les crocs, et nous dansons, inconscients et solitaires, sur la crête d'un volcan sur le point de vomir, tandis qu'auréolée de ses rousseurs automnales, Montréal s'est attiédie jusqu'à l'incomparable par un singulier été des Indiens, toute bruissante et parfumée de ses feuilles sèches.

Pour elle, jusqu'alors, cet homme n'aurait été qu'une voix parmi tant d'autres entendues à la radio, l'une de ces voix sans visage qui ponctuent les différentes heures de la journée. Puis, il lui serait arrivé de le rencontrer en personne, pour une entrevue.

Elle aurait été étonnée, une fois en sa présence, de la sensibilité de cet animateur, de la réelle empathie qu'il lui aurait manifestée. Ou peut-être aurait-elle ressenti cela. Le malheur. Une incurable mélancolie? Une peine bâillonnée derrière l'affabilité, sa cause même?

Comment l'aurait-il rejointe, dans cette chambre de la rue Saint-Hubert? Elle lui aurait sans doute chuchoté à l'oreille son désir impérieux, alors que lui et elle remontaient par l'escalier mobile, après l'émission. C'est seulement une fois allongée sur le lit de la chambre 33 de l'Hôtel Saint-Louis, qu'elle aurait songé que peut-être il ne viendrait pas.

Mais il serait venu. Il se serait assis à côté d'elle, elle se serait relevée à demi sur un coude, lui aurait retiré ses lunettes cerclées de métal. En se penchant sur elle pour l'embrasser, il lui aurait demandé: Pourquoi? et elle lui aurait répondu, avant de lui mordre les lèvres: Parce que.

(Parce que jamais je ne remets en question ni mes songes ni mes désirs.)

Elle et lui se seraient défaits de leurs vêtements sans cesser de s'embrasser. Elle aurait admiré ses épaules, à la tendre peau translucide, pommelée de rousselures, cette peau de roux héritée de ses ancêtres irlandais.

Il se serait soudain redressé. Pour la contempler: son corps laiteux, un peu grêle, toujours adolescent. Elle l'aurait contemplé, elle aussi: il l'avait fort longue et effilée.

Flux de baisers, reflux de caresses, elle aurait joui sous ses doigts. Tandis qu'elle aurait repris son souffle:

— C'est à cause de mon amant.

— Quoi?

— Parce que jusqu'à aujourd'hui. Mais c'est lui...

— Jusqu'à aujourd'hui?

— Oui. Jusqu'à aujourd'hui.

Au fond de ses yeux, enfin, une lueur rieuse. Elle aurait songé: Un farfadet celte.

Il l'aurait brandillée sous lui et sur lui, si légère. Voluptés en volutes. Et lui, lorsque finalement. Des rugissements de. Elle aurait songé: De locomotive.

Il serait reparti très vite, après, en homme fort occupé.

Samedi grisâtre, humidité féroce, térébrante. Qu'est-ce que ce rêve? Parce que la plupart de mes amies, ma belle-soeur même, me conseillent de? Par compensation? Mais cette netteté, cette précision? Ou à cause de ce message d'une Marion, ambigu, sur le répondeur cette semaine?

Toute la journée, le moral au plus bas, je pleurai: en petit-déjeunant, puis dans mon bain, puis en m'habillant, puis derrière mes verres fumés en faisant les courses, puis le midi au restaurant avec toi (dans mon verre de beaujolais nouveau), puis de nouveau en préparant le souper, et dans la soirée, encore une fois dans la baignoire, en tentant de camoufler mes sanglots dans les glouglous du robinet.

Plus tard encore, dans la chambre, ce que je t'ai dit je n'en sais plus rien, car telle une rivière captive d'une chape de glace compacte et lisse, accumulée depuis des mois et des mois de silence, je sentis en moi cette effrayante carapace de béton glacé se fendiller, se crevasser, se fracturer, se disloquer et céder, je sentis ces monceaux de givre se heurter avec de sinistres craquements.

Puis je me suis endormie, épuisée, le nez au creux de ton bras.

J'ignore ce que tu en as compris. Mais pour moi, ce matin, la vie coule à nouveau.

DANIELLE FOURNIER

Avant de tout détruire

Pour Jacques

Je présumais depuis toujours que tout allait de soi. Je ne sais pas d'où me vient cette croyance, ni si elle m'est familière et seulement personnelle. Ce que je me figure, ou du moins ce dont je suis sûre, tient à peu de choses: l'univers nous entourant est imperceptible, certes, mais indéfectible. Je songeais là à l'éternité du monde, sans pouvoir dire depuis quand.

Nous devions nous inscrire dans ces rapports premiers et fondateurs. Dans la très grande fragilité des mouvements entre les humains, mouvements périssables, néanmoins liés à ceux à qui on revient en pensée ou en acte, dans cette extraordinaire fragilité donc, nous nous trouvions tenus de nous retrouver un jour ou l'autre.

Au premier regard, je savais que plus rien d'autre n'allait compter. Que lui. La seule voie possible déclina rapidement autour de celle de la tentation à laquelle on n'échappe qu'engagé par le regard. Si tout cela demeure obscur, c'est qu'il faut penser à la lumière des événements et surtout dans l'absolu. Le voile se déchire pour laisser voir et entendre des paroles vivantes; des mots de chair ont l'histoire inscrite au cœur de leurs syllabes. Cette manœuvre a ceci de très particulier qu'elle n'a d'efficacité qu'au centre même du langage: l'œil couvre la gorge de baisers. La langue caresse la paupière, mouille les cils tout doucement, tout lentement. La passion vibre de ce magnificat blanc.

Entre deux rencontres, il y eut d'abord toute la joie de retrouver l'amant: c'est ce que j'appelle l'ordre des choses. Le retrouver nommait certes son absence car comment vivre l'éternelle absence? Comment entendre le continuel bruit ou soutenir l'ineffable regard? Se préparait et s'ouvrait l'espace réservé à l'amour dont je ne présumais pas l'issue et, dans cette innocence propre aux débuts amoureux, je n'entrevoyais pas la nécessité de l'échappatoire.

Il m'a offert la lune pour me donner du sable à manger. Il m'a croquée aux petites heures du matin, avant de partir. Je n'ai jamais su qui il allait rejoindre. Maintenant, cela me laisse indifférente. Dans une maison que j'imaginais aussi grande que le monde, j'appris, dans l'isolement, que l'amour peut passer puisque mon lit fermé et bien fait ne s'ouvre plus, ni l'après-midi, ni le soir. Personne ne gravit mes jambes, n'escalade mes reins, ne monte mon ventre humide et chaud, plus personne ne me lave ou ne me parfume. J'habite un corps déserté.

Pourtant, quand il m'avait amenée avec lui, il m'avait proposé un monde où s'entrechoquaient mirages et autres oasis de la dépossession. J'avais suivi, aveuglée par les phares, muette, les jambes entrouvertes et, sous son regard, je m'enflammais de désir. Je m'en suis réclamée seule, mon cri se répercute comme l'écho les soirs de pleine lune, comme l'écho qui répète tous les noms de l'amour.

Il m'a fait glisser sur les lacs enchanteurs des milles feux et des mille manières d'aimer. J'ai couru au-devant de lui afin de le rejoindre près des rives du fleuve, abandonnant ainsi mers et forêts. J'ai cherché son nom. Je l'ai trouvé trop tard. Des mains vieillies, une peau sèche, des yeux désormais gris et déçus par l'amour: je t'aime, je m'en vais. Je reste, tu pars. Nous jouons à la cachette, dans ta maison, afin de nous assurer de notre défaite. Nous ne nous supportons plus.

Je me suis mise à guetter les heures. Une longue attente allait commencer. Dans mon dos, tu as donné rendez-vous à quelqu'un, à notre lieu secret. Je me suis rendue à ce jardin caché derrière le précipice du mont Royal.

Minuit, ta voix enveloppe encore les traces de l'histoire. Tout en feintes, en demi-tons, en couleur orange le matin, grise le soir, tu t'emportes, me déportant. Tu t'en vas, m'en allant. Voix d'hommes, de femmes, tous sexes mêlés et confondus dans la perte de l'identité amoureuse. Deux heures, des mots, des sarcasmes, des colères, je te vois depuis la fenêtre et je me dis qu'enfin tu reviens. Cinq heures, j'articule de manière tendre les syllabes de ton nom dans le silence des marées, dans la mécanique perpétuelle des foules en délire et apeurées par les vagues qui les submergent; viennent choir à mon flanc transpercé par ta haine, les démesures des emportements.

Je ne sais pas: non, je ne me doute pas encore. Toute la difficulté du monde à te rejoindre quand tu fermes tes cuisses pour ouvrir les miennes, toute la difficulté du monde à lire dedans ta tête quand tes yeux se posent dans l'infini. Tes gestes ressemblent à ceux des poissons. Je te vois bien. Je te regarde beaucoup.

Sur le mont Royal, toute la nuit nous avons fait l'amour; toute la nuit, je t'ai reconnu puis appartenu, avec les yeux, la bouche, les doigts, la peau, le sexe. Tu ne m'as jamais prise, moi, de nombreuses fois en photo; tu as mangé mon odeur et goûté aux plis et replis de mes cuisses; tu t'es frotté pour mieux te coller à ma peau puis, tu t'es enfoncé si loin que j'ai eu mal. Tu as dû me reprendre si doucement que je suis devenue femme. Cette nuit-là efface toutes les autres, sombres ou claires, douces ou violentes, cette nuit-là m'a fait naître, m'a mise au monde. Comment avions-nous été l'un sans l'autre? Puis tu m'as ramenée chez moi et tu es rentré chez ta femme. Tes enfants t'attendaient, toi, le père-mère, me disais-tu.

Je me rends encore à toi comme j'en reviens. Je marche vers toi; dans tes pas, je te regarde vivre: y a-t-il plus beau lieu que l'amour, me murmurais-tu. L'espace entre nous se transforme en un œuf transparent, un chant de résistance. Je marche vers toi comme on va vers l'inconnu dans la joie. C'est cette voix qui nous mena l'un à l'autre, c'est d'abord la voix qui nous a unis par son absence, plutôt dans l'absence. C'est elle qui nous a conduits. Combien de fois m'as-tu demandé qui je regardais et combien de fois t'ai-je répondu que je ne savais regarder que toi? Cela n'a plus guère d'importance aujourd'hui; tout ce qui compte, c'est que je puisse regarder à nouveau l'amour droit dans les yeux.

Je ne me rappelle plus très bien lequel de nous deux est venu irradier l'autre en premier, ni lequel est parti. Ta voix me portait et m'arrivait puisqu'elle seule continue de se répercuter en moi. Toutes les pensées qui n'ont pas d'origine dans l'amour ne sont pas des pensées. Ne devrait refléter dans l'amour que sa magie: de là, de la magie et de l'amour naît la pensée. Ailleurs, c'est le geste de la mort qui gonfle la relève du corps; ailleurs, ce geste occupe tout ce qui s'éteint dans le regard vidé de sa substance. Un tel déchirement est l'applaudissement du morbide.

Chacune de mes respirations me souffle ton nom; moi, sur ton corps, chatte, je griffe le grain de ta peau pour me rendre à ta gorge que j'enserre dans mes doigts. Moi, dans ton corps, je suis ondée, toi, tu chutes dans mes cavernes roses. Tu te nourris à mon âme. Que tu étais beau dans nos nuits sacrées, que tu étais grand, fort et noble! Alors, comment expliquer ce qui est advenu?

Dans la pudeur et dans la joie de toucher à ta vie, j'aurai porté mes gestes dans toutes tes fentes, caressé avec ma langue le tricot de ton corps entremêlé au mien. Jamais, je crois, je ne suis arrivée à me lasser de tes courbes, beaucoup trop fortes pour moi, et de tes creux et ouvertures, de ces trous qui te font homme.

Puis, ta peau en vint à me brûler et ta maison fraîche n'apaisait pas la blessure vive. Tu sautais sur moi, de tout ton corps étendu, tu m'amenais si loin, si loin que je n'arrivais pas à me courber autrement les reins. Tu m'as demandé pourquoi je ne gémissais plus. J'aurais voulu te parler de cette brûlure au creux de mon ventre, brûlure d'où tu revenais, mais tout est parfois si inattendu que je me suis trouvée décontenancée. Je n'étais la fiancée de personne.

Non je n'ai plus jamais crié malgré que je me sois laissée prendre, comme toi, par le sommeil jusqu'à ce que tu me réveilles à nouveau. Peut-être pleuvait-il ou neigeait-il. Peut-être les heures s'étaient-elles écoulées comme autant de secondes. Le quartier encore silencieux devait dormir. Je suis alors sortie, la noirceur dans les yeux, sortie te rejoindre dans les sentiers du mont Royal. Je m'étais faite petite et translucide, imperméable aux sifflements des camionneurs, imperméable aux railleries des taxis et autres quolibets des automobilistes anonymes. Je descendais en courant vers le fleuve, je voulais te rejoindre en cachette, toi resté bien au chaud dans le lit. Je t'ai trouvé sous les pierres, dans une des étoiles qu'on ne voit jamais ici et je t'ai ramassé précisément là où tu m'avais abandonnée.

Là-bas, sur la montagne, quand tu as cru me trahir, que tu as espéré te venger, c'est avec moi que tu me trompais. En toi montait ta sève, l'histoire des chutes et de notre seul fleuve, cette coulée du printemps qui torture tout ce qui n'est pas en vie; en moi, brûlait l'eau des feux, les torrents caressant les rocailles faites par l'homme, et le beau ruisseau, ces chutes qui, du mont Royal, descendent elles aussi quand la vie est à ses plus forts moments de désir et d'abandon, alors là, là-bas, la femme que tu tenais à bout de bras, dans cette nuit sans lune, c'était moi, une autre moi-même.

N'avais-tu pas été surpris de la connaissance qu'elle avait des pourtours de ton très lourd corps? N'avais-tu pas été déçu de son indifférence devant tes aveux hypocritement répétés? Nous étions si loin de toi que nous te regardions, toutes les deux, toi devant l'éternel jouant les jeunes premiers, te réclamant de l'amour et de la passion, toi qui en es, finalement, incapable. Non, je n'étais pas jalouse de celle à qui tu offrais ce nouvel amour, celle qui ne devait plus être moi pour toi, celle-là qui n'était pas moi. Tu m'avais conduite l'après-midi à l'université et tu m'entretenais de ta générosité, tentant d'oublier la trahison qui suivrait ma sortie de ton auto. Tu attendais mon départ avec tant d'impatience que tu brûlas deux feux rouges et me salua d'un autre nom que le mien...

Tu nous as fait mal. Tu as détruit les seules belles images de l'amour dans le corps de l'enfant mort-né. Nous avons perdu du sang sans que jamais le placenta ne se délivre. Nous avons ressoudé les plaies, fermé les lèvres, baissé la tête, courbé l'échine. Nous avons hurlé, sachant que désormais l'amour était ailleurs qu'en toi.

L'amour était ailleurs qu'en nous, je le savais, tu me le répétais et j'en étais chavirée.

Puis, pendant son repas, l'enfant s'est assoupi, mort de fatigue, le cœur lourd; les paupières se sont doucement fermées, les poings ouverts, les jambes légèrement détendues. Je l'ai pris dans mes bras, il s'est retourné la tête. Maintenant je ne vis que pour lui et cette vie en appelle une autre, toute ronde et douce, sans faux-semblants, sans colères. Il s'est ouvert les yeux, me cherchant, j'étais là, revenue de mon pèlerinage aux cimetières de la ville.

Personne n'a jamais tatoué mon nom sur sa peau, je le sais, car tu me l'as confirmé. Personne ne le fera jamais, tu me l'as assuré. Tout est en attente de séparation et de départ. J'ai tout perdu. Il ne me reste que le nom de mon père et le regard très bleu de ma mère. Mais toujours je crains que dans un dernier souffle ne meure mon tout petit.

Devant l'échec des espoirs de nos recommencements, j'ai eu peur de me voir telle le mont Royal, déchirée en deux, la langue en guerre. Je n'ai jamais atteint cet état bienheureux de l'indifférence qui permet l'envol vers de nouvelles et inattendues émotions. Je t'aimais, et je retrace dans la ville mon désir trop grand pour moi. Tu jouissais, aveugle, de cette femme inconnue sur la montagne, derrière le cimetière des Anglais. N'importe qui sauf moi: j'ai fini par comprendre.

Mon état empirait. J'avais de plus en plus mal à la tête, j'oubliais les vêtements chez le nettoyeur, me perdais dans le métro. T'ai même appelé au bureau. J'ai réussi à payer deux fois les comptes. Puis j'ai cherché, sans joie, un amant que je n'ai jamais trouvé.

Le soleil alors apparut, après avoir traversé la nuit, et à toi j'arrivai, moi, les reins brisés, docile, j'arrivai nue, et plus nue encore, quand tu poses tes lèvres sur mon corps.

Je te vois orage qui éclate. Je m'ouvre tout entière à la douceur des paroles de cette mer abandonnée et elles laissent sur le rivage des souvenirs de nous, endormis. Oui, l'écho comme un rappel dans une autre langue, te dit, à toi seul, en silence, le chemin qui nous amène hors des murs. Un couple, nous étions un couple amoureux.

Je me suis mise à rire, mais à rire si fort que j'ai réveillé l'enfant. Je l'ai pris dans mes bras, l'ai mis dans son landau et nous nous sommes envolés vers d'autres cieux. Folle, j'ai rejoint l'homme que j'aime, un homme qui ressemblait à ce que tu avais déjà été, il y a de ça quelques années. Folle, tout a été doux, soyeux. Pendant que le bébé dormait, nous avons fait l'amour si longuement qu'épuisés nous nous sommes assoupis, toi en moi, moi sur toi. Folle, tout s'est éteint et le temps n'avait plus d'importance. Nous étions arrivés à nous-mêmes. Nous étions devenus un couple.

Mais le temps a passé et, du couple que nous étions, il n'est plus rien resté. Le dimanche, tu n'es pas rentré. Je suis retournée au lieu secret, mais tu n'y étais pas. Quand je suis revenue, le mercredi, tu m'as révélé l'insoupçonné: tu me détestais; je te répugnais. Alors je suis partie, souhaitant que tu me retiennes, ce que tu n'as jamais fait. Le jeudi soir, tu as mimé l'amour, l'orgueil gonflé, tu as joué à faire semblant en me disant que ce n'était pas important. Alors, le vendredi, j'ai cru mourir et, le souffle court, je t'ai rappelé, les sanglots dans la voix, le regard perdu; dehors, ce n'était plus l'automne et pas encore l'hiver. Ce qui me restait d'orgueil était anéanti sous ta botte. Puis, dans la nuit du dimanche au lundi, j'ai rêvé de toi, et tu me faisais l'amour comme autrefois sur la montagne, j'ai compris que tu m'avais quittée avant que je ne parte. Désormais, tout pouvait se terminer. Je ne mourrais pas. Je suis toujours capable d'amour pour un homme vivant.

FRANCE THÉORET

Trois femmes

Ma vie en ville est dévoyée. Bien que je ne coure ni les bars ni les événements sociaux, je déplore les obligations qui m'amènent à fermer la porte de mon domicile. Je tourne la clé dans la serrure, secoue la poignée. Si je pose les gestes de façon automatique, je reviens vérifier. Au volant de ma voiture, il m'arrive de prendre une rue transversale pour revenir m'assurer que j'ai bien verrouillé. Mon parcours me conduit au nord du boulevard Métropolitain. Si, à ce moment-là je doute encore, je décide volontairement de l'inimportance du geste et je savoure une mince victoire. L'incertitude et l'hésitation n'auront pas raison de moi aujourd'hui.

J'ai été guidée, mes principes révèlent l'œuvre d'une enfance réussie. La prudence me soutient et oriente ma conduite. Il faut savoir conserver une attitude simple, en même temps étudiée et adaptée aux circonstances. J'ai des ressources qui ne m'abandonnent pas dans les rapports sociaux les plus risqués. Née à Montréal, indéracinable du lieu, je n'imagine pas habiter ailleurs. Un autre lieu m'apparaît dépourvu de significations, j'y serais en état d'apesanteur, irresponsable.

Je soigne le profil de mon idendité parce qu'il m'est arrivé une foule d'incidents qui dénaturent l'idée de mon rôle et de mes fonctions. Il est inutile de me prendre pour une autre. J'ai le sentiment de répéter une phrase, un relent d'amnésie m'alourdit.

Dès que je tourne à droite rue Émile-Journault, ce que j'appelle mon cirque intérieur prend fin. Une grisaille dans l'air, les expressions toutes faites fondent ma tranquillité.

Le boisé derrière le collège a disparu depuis cinq ans. Le goût hésitant, moitié urbain, moitié banlieusard, des constructions neuves m'invite à chicaner. Mieux vaut un regard narquois. Des triplex semi-détachés, avec demi-sous-sols attenants à des garages, jouxtés aux demi-jardins, signalent une somme de compromis. Mes connaissances en architecture sont intuitives. Je sais reconnaître l'ambiance d'un lieu. Refléter une nouvelle aire de prospérité: voilà l'idée qui semble avoir animé les promoteurs. Je note: indécision.

Je ne suis pas devenue bibliothécaire par ambition. Mon travail comporte une somme d'avantages dont j'énumère les bénéfices lorsque je suis tourmentée par des velléités de changement. Dès que j'ai salué mes collègues, le matin, il est difficile de m'arracher une parole. Par ennui, j'ai adopté une routine. Par nécessité intime, je m'y conforme.

Je m'oriente de façon à n'être pas troublée et les affiches qui invitent au silence sont mes complices. Avec les années, j'ai acquis la certitude que mon ordre rigide peut devenir agressant et que ma politesse formelle dérange. Le manque d'aménité, une qualité associée d'habitude au genre féminin, crée un espace d'incompréhension. Il m'est inutile d'expliquer que j'ai voué des années à des réflexions méticuleuses et à l'autocritique pour parvenir à un minimum de maîtrise. Je suis arrivée à incliner l'axe majeur de mon éducation vers son parachèvement.

L'aspect technique de mon travail absorbe mes capacités de concentration. Quand je lève la tête, au mur de gauche, je vérifie l'heure qui avance, et, dans la fenêtre à droite, j'aperçois le nouveau développement. Je regrette que la bibliothèque soit située à l'arrière du collège. L'ancien boisé offrait un joyeux contraste. Le coup d'œil, un mot convient maintenant, la régression.

Je n'échangerai pas plus d'une dizaine de phrases avec les collègues, ce que j'estime une excellente thérapie. Pour vivre heureux, vivons cachés. Je tends vers l'apaisement, l'absence de contradiction suffit.

Hier, je remplaçais une collègue au service de prêts. Ma façon d'être en retrait, avec mes vêtements noirs, libère un espace gestuel. Les timides me secouent. Ma sollicitude à leur égard n'est pas feinte. Je leur manifeste que je reconnais la timidité. Mentalement, je m'adresse à eux. Je ne crois pas à la transmission de la pensée, je tente de guérir la jeune fille que j'ai été, celle qui bégayait devant les adultes. Je m'occupe d'eux avec une attention vigilante.

Mes fonctions ordinaires, qui sont d'un ordre technique, justifient un nombre minimum d'échanges. L'occasion de côtoyer des étudiants me rassure, je suis tout de même un peu sociable.

Je circule en sens inverse de la circulation, vers le nord le matin, vers le centre-ville en fin d'après-midi. La dénégation me fait horreur. Je préfère les affirmations élémentaires, s'il le faut. Lorsque je suis piégée, il arrive que je me défende par la dénégation. Mon réflexe me rend malheureuse, je me surprends à bégayer.

Je me laisse guider dans les décisions importantes. L'animation du quartier me plaît, j'ai une connivence physique avec l'anonymat urbain et les plaisirs esthétiques. Les préjugés au sujet du centre-ville sont tenaces. Curieuse manie des gens de vous demander où vous habitez, pour dire sans transition qu'ils n'aiment pas le centre-ville à cause des revendeurs de drogue, du bruit, de l'air pollué, du manque d'espace, de la pauvreté d'autrefois. Nous parlons pour nous trahir, je ne l'ignore pas. Le centre-ville est un miroir, ils y voient un rythme frénétique, insupportable. Leur agressivité est comique.

Les comparaisons m'indisposent.

J'ouvre la fenêtre de la cuisine. Tout à l'heure, je téléphonerai à Laurence. Nous préférons ne pas nous rencontrer. Nous avons beaucoup en commun, nous cultivons notre amitié. Par amour de nos dix-sept ans, nous avons le culte de l'amitié, une mystique née de nos lectures des humanistes chrétiens plus que de Montaigne. Il nous est arrivé de converser au sujet des lectures anciennes, ces livres empruntés à la bibliothèque de nos écoles qui ont disparu, à l'exception du *Petit Prince* de Saint-Exupéry. J'entretenais mon incrédulité à l'égard d'une histoire qui me maintenait dans l'enfance. Il reste une phrase dont je me souviens: «Tu es responsable pour toujours de ce que tu as apprivoisé.» Les filles avaient la décence de s'identifier au Petit Prince, au Grand Meaulnes, apprenaient à se méfier de la féminité, de la frivolité et de la faiblesse. Nous étions androgynes, encombrées par la toute-puissance de l'inconscient. Qui était Roger Frison-Roche? Quelle était la pensée politique de celui qui nous initiait à la mystique de la montagne?

Nous avions des passions sublimes, une imagination qui nous dépossédait de la réalité. La pauvreté culturelle ambiante maintenait des interdits auxquels nous tentions de croire.

Elle habitait le quartier Villeray, j'habitais Saint-Henri. Je méprisais les filles qui flânaient dans les *snack-bars*. Sans doute est-ce cela le mépris: un désir de se distinguer d'autrui! Voilà une parole fausse bien ordinaire.

Nos rendez-vous téléphoniques constituent notre relation, épisodique, à chaque quinzaine. Je me prépare mentalement à notre conversation, mangeant aussi lentement que possible. Je lui parle déjà. Il me manque une idée de ce qu'elle était vers dix-sept ans. Les livres qu'elle a lus ne me suffisent pas pour l'imaginer. Observait-elle la réalité avec une acuité semblable à la mienne? Quelle lucidité avait-elle?

Nous devenons habiles à créer des liens entre le passé et le présent. Nos conversations prennent des relais qui font chevaucher des époques. Nous avons été tenues au silence l'une et l'autre. De nos observations, nous avions l'intelligence sans les mots. La parole bégaie, la béance devant les mots.

Je fais ma tournée du grand appartement au plancher de pin verni, un rituel depuis que je suis seule. La chambre d'amis est encombrée. Maintenant qu'il n'y a plus de débarras dans nos maisons, il me faut une pièce pour jeter pêle-mêle ce que je conserve. Au coup d'œil, la pièce semble ordonnée: autour du lit, les boîtes de carton et les valises sont empilées comme si j'allais déménager. J'ai besoin d'un débarras pour maintenir l'ordre dans ma maison. La porte de la chambre demeure ouverte, l'air circule. Quand je ne supporterai plus l'entassement, je vais déballer les caisses et les valises pour trier, conserver, donner ou jeter aux ordures, décider. J'ouvre la fenêtre à la française du salon double, le bruit de la circulation est multiplié, il monte dans l'air.

Avec Laurence, nous reprenons le fil de notre dernier appel. Il est des moments où nous percevons les absences de façon vertigineuse. Elle m'entraîne dans une course contre le temps, dans la nécessité de reconnaître ce qui fait d'elle une femme. La femme est une mère, elle et moi ne sommes pas mères. Sa révolte gronde, le corps ne saurait être l'unique mesure.

La femme seule, dit-elle, celle qui consent à se dépouiller des vertus de l'éternel féminin, à ne pas trahir les autres femmes, à éradiquer les ambivalences depuis sa manière d'agir, que devient-elle? Il faut parler d'elle au neutre, ni l'un ni l'autre. La colère la gagne. Mon amie prononce le mot disparition alors qu'elle retrace de longs débats, une énergie flamboyante, avec une lourde peine dans la voix.

Ce soir, elle reprend le thème majeur de nos conversations, le débat qui nous appartient, le goût inépuisable de nous sentir étrangères, de nous éloigner des données familières. Quand je l'écoute, je renais au désir d'être une femme. Nous convenons que nous sommes au commencement de la connaissance de l'esprit humain et nous portons au futur nos discours enchevêtrés, disposées à privilégier l'incertain qui est en nous.

Lorsque vient le moment de terminer la conversation, nous ne savons pas nous quitter. Laurence me propose de l'accompagner au cinéma vendredi et me donne rendez-vous dans le café attenant à la salle.

Le lendemain, elle m'appelle au travail, tandis que j'abrège, elle énumère son emploi du temps, chacun des déplacements à l'horaire. Nous décidons qu'il vaut mieux prendre le café après la projection. J'ai à peine le temps d'ouvrir la fenêtre de la cuisine, le téléphone me tire de la lenteur. Laurence croit qu'il vaut mieux assister à la dernière projection, elle a des courses à faire dans l'ouest de la ville et craint d'être en retard, ce qui serait désastreux puisque nous nous voyons si rarement. Nous précisons l'heure.

Je n'ai aucun mal à l'imaginer dans ses allées et venues, débordée par des projets ponctuels. Je tends à renouer avec la lenteur et le silence, j'éprouve la nécessité de fuir depuis ma solitude ce qui fut ma vie d'adulte jusqu'ici. Vais-je retrouver la faculté de sentir qui fut mienne à l'adolescence, une époque sans les mots? J'étais insociable, disait-on, et je m'aimais telle, bien que tenue à ne jamais jouir de ma solitude.

La saison des longues marches est revenue et je n'ai pas modifié mes habitudes du dernier hiver. Je lis, à la recherche d'une mémoire, de liens entre hier et aujourd'hui. Je note des phrases sur la désolation, la littérature entretient une tension sans laquelle la neutralité deviendrait étouffante.

Les clés dans la main, je fais le tour des pièces, inspecte l'ordre, ferme la page du cahier de notes. Je me dispose mentalement à la longue journée. Le téléphone me réclame alors que mon intuition disait qu'il ne fallait pas m'attarder. Laurence m'invite à prendre un verre chez elle, en fin de soirée: «Nous nous voyons si peu», dit-elle. Je ne désire pas la contrarier, j'acquiesce pour me soustraire à la conversation.

Dans l'après-midi, alors que le soleil envahit la salle de documentation, je reçois son appel. Elle est déçue, elle a croisé quelqu'un ce midi, le film est platement réaliste, n'est qu'une histoire racontée, reconstituée, avec de belles images. Le film banalise la vie de Milena Jasenská, morte au camp de Ravensbrück en 1944, tu entends. Laurence poursuit, elle n'aurait pas dû m'inviter, elle a commis une erreur. J'écoute un si grand nombre d'informations et de considérations en un si court temps que je choisis de la consoler. Nous prendrons nos places calmement, nous

nous laisserons raconter l'histoire de Milena. Une attitude passive, c'est bien cela ton attitude. Je ne relève pas le mot, une insulte.

Alors que je roule rue Saint-Denis dans la circulation nerveuse du vendredi après-midi, je songe que ni l'une ni l'autre n'avons prononcé les mots clairs afin de renoncer à nous voir. Depuis que l'heure approche, je suis devenue curieuse à propos du film et n'ai pas l'intention de changer le programme de ma soirée.

Une légère fébrilité m'anime. Les rues prennent une couleur chaude. Les passants qui vont lentement rue Laval, près du carré Saint-Louis, admirent les façades victoriennes. À l'époque de mon aménagement, je recherchais un quartier effervescent, grouillant, car j'éprouve un contentement secret à traverser la foule. Passer le seuil et me joindre à des inconnus sans la nécessité de parler, juste pour me fondre dans une nouvelle solitude, me fait oublier les questions intenses qui progressent en moi avec une lenteur gênante.

L'activité de la rue a une saveur trouble. Jeune fille, il m'était impossible de me retirer. L'espace restreint et les mœurs exigeaient que la vie se passe au vu et au su de chacun. Les nombreux promeneurs offrent une présence rarement indiscrète, chacun va vers ses plaisirs. Ceux qui tendent la main rappellent l'absence d'équité dans la vie.

Je me rends au cinéma Parallèle, le boulevard Saint-Laurent est envahi, l'heure de fermeture des commerces approche. Elle n'y est pas encore. J'attends, tandis que les spectateurs défilent à l'entrée de la salle. Je fixe ma montre, au moment où il me faut décider, elle apparaît, gesticulant, criant presque: «J'ai failli ne pas venir!» Si je disais que j'ai honte d'elle à cause du cri, des contorsions, je me rappellerais que je suis d'une autre époque. Le mot honte me vient pour en rire. Je demande: «Pourquoi?»

Tandis que je l'entraîne, elle dit que ce n'est pas un bon film. Nous prenons les seuls sièges qui restent, près de la porte. Les lumières s'éteignent.

Je sens son agacement tandis que je me projette dans des images au rythme bien conventionnel. L'histoire progresse et avant que Milena rencontre Kafka, quelqu'un vient s'asseoir près de moi. Je reconnais Anita, une ancienne collègue de travail. Laurence a quitté d'un bond, n'a fait aucun signe.

Anita murmure: «J'ai vu la place libre près de toi, je suis venue.» Je fais signe, j'écoute, je n'ai pas envie d'entendre, ni maintenant ni après, ce qu'elle va dire de Laurence.

Dès que nous quittons la salle, Anita ne manque pas de passer un commentaire au sujet de la bizarrerie de mon amie. Je suis calme, l'histoire de Milena dispose à la retenue, je lui dis qu'elle a ses raisons. Nous sommes bousculées vers le trottoir où elle nous attend, figée, les bras levés au ciel. Elle parle d'une voix forte: «Je suis revenue te saluer: il ne faut pas encourager la médiocrité.» Elle s'enfuit alors que je sens de nombreux regards tendus vers nous.

DANIELLE ROGER

Aller jusqu'au bout

Quatre murs peuvent se dresser n'importe où sur une île. Je vis à l'intérieur. J'habite Montréal. Ici, la terre est plate. On marche longtemps quand on cherche ce qu'il y a au-delà.

Je me souviens du premier trottoir sur lequel j'ai marché. Tout ce qu'il en reste aujourd'hui, c'est une photographie. Une image où je me vois, debout à côté d'un tricycle vert. À l'endos, il y a une date (milieu du siècle) mon nom, et, plus bas, celui d'une rue près du port de Montréal.

Je me souviens. Le bout du monde était là, quelque part au coin de la rue. Parce qu'au bout de cette rue, il n'y avait rien. Elle finissait là. Et, au-delà, il n'y avait rien d'autre qu'un port, invisible, qui n'existait peut-être nulle part ailleurs que dans les conversations autour de moi. Tous les jours, j'allais un peu plus loin en comptant sur les lignes du trottoir le chemin parcouru. Combien de temps encore, de distance, avant d'en arriver là, à rien, au bout du monde? Puis, il y avait la voix de ma mère pour crier mon nom. Je revenais chez moi avec l'étrange sensation de rester suspendue au-dessus du vide. Un vertige entre l'attirance et la peur.

Les enfants passent, les trottoirs s'usent, les souvenirs s'épuisent. Maintenant, j'évite de compter le temps qui me reste à vivre ici. Je recommence ailleurs. Je me déplace. Je déménage souvent. Je cherche un espace vacant où reposer mon âme, accrocher mon manteau, déposer mes bagages, ma fatigue et mon âge. J'apprivoise des murs, des rampes d'escalier, des rues, des quartiers. Je ne m'attache à rien. Je vis dans le provisoire. J'occupe des lieux de passage, des chambres louées à la semaine, des couloirs de métro, le terminus Voyageur. Parfois, j'imagine passer le reste de mon existence à marcher dans cette ville, en étrangère. J'ouvre des portes derrière lesquelles il n'y a personne. Personne d'autre que moi, dans le miroir sur le mur d'en face.

J'habite une chambre d'amis, chez des inconnus. Je n'arrive plus à sortir de cet immeuble (un sinistre rectangle gris) situé quelque part près du boulevard Métropolitain. À chaque fois que le soleil se couche, je me demande si je vais mourir ici. Debout devant la fenêtre, je pense à quelque chose de grave. Je laisse les idées devenir des mots qui s'accumulent sur la vitre et aussi là-bas, entre deux voitures qui roulent trop vite. Vue d'en haut, la rue me semble inaccessible. Ailleurs, dans la maison, quelqu'un parle du prix des radis. Des gens passent à table. Ils parlent de ce qu'ils pourraient manger demain. Une des voix s'éloigne. On marche dans le couloir, passe devant ma chambre. La porte de la salle de bains se referme derrière une personne. J'entends le bruit de la chasse d'eau. Je crois que bientôt je devrai quitter les lieux.

Quand il fait trop froid dehors, je reste à l'intérieur. Je m'enferme, comme tout le monde. Assise devant un radiocassette, j'écoute de l'opéra. C'est suffisant pour m'exalter. Pour prolonger l'effet, je bois du café très fort. J'ai assez de cigarettes pour faire passer le temps en fumée, au-dessus de ma tête. Je me lève souvent pour vider le cendrier.

Les dimanches matin j'occupe une table dans un café de la rue Saint-Denis. Je viens voir les couples lire leur journal, assis l'un en face de l'autre, sans se regarder. Je viens ici, pour les écouter n'avoir rien à se dire. Ça ne change pas ma vie. J'ai l'habitude du silence, des espaces vides, des corps sans âme.

Cette nuit, j'habite à l'intérieur d'une veste de cuir. Elle ne m'appartient pas. Un homme l'a déposée sur mes épaules. Je n'ai pas froid, mais je la garde sur moi. Parce que ça me donne la force d'avancer encore. L'impression d'être quelqu'un d'autre. Nous marchons dans le quartier chinois. Nous sommes seuls. Je suis perdue. Je pense que je suis désorientée parce que le point central de mon être s'est déplacé. Il m'embrasse. Je ne connais pas son visage. Il me demande de le suivre. Je m'aperçois que je n'ai jamais entendu sa voix. Il dit qu'il veut m'amener ailleurs, dans une autre ville. Plus tard, je vois son corps qui s'en va, traverse la rue Saint-Laurent et disparaît. Je marche encore longtemps avant d'ouvrir une autre porte, une autre blessure. J'entre quelque part, en moi.

Maintenant, j'habite l'espace vacant entre une table et une chaise. Quelqu'un crie mon nom. On vient me chercher. Changer de quartier. Changer de vie. J'habite avec ma fille. Dans l'appartement, tout semble normal. Le chauffage est inclus dans le prix du loyer. Quand je regarde l'hiver blanchir la fenêtre, je n'ai pas peur. Certains matins, sur la table, il y a un carré de soleil. Assise l'une en face de l'autre, dans une cuisine rose et turquoise, nous mangeons du pain avec du miel. Il reste du café dans la cafetière. Quand ma fille brosse ses cheveux, je ne peux rien faire d'autre que la regarder. Elle me dit: «Tu devrais te maquiller un peu.» Elle me prête son rouge à lèvres. Ensuite, nous sortons. Nous marchons dans l'avenue du Parc. Ma fille glisse son bras sous le mien. Je vois que son manteau est déjà couvert de neige. Je vois aussi qu'elle est plus grande que moi. Nous marchons serrées l'une contre l'autre, à cause du froid et de la glace sur le trottoir. Je pense que l'hiver ne finira jamais. Je n'ai plus envie que le temps passe, que les saisons changent. Nous sommes dehors depuis longtemps parce que je ne trouve pas l'endroit que je cherche. Je refuse de prendre le métro. Je crois que nous sommes samedi. Nous croisons des Juifs qui reviennent de la synagogue. Ils passent devant nous sans nous voir. Je pense à tous les êtres qui marchent sur la Terre en même temps.

Je voudrais retourner en arrière pour vérifier quelque chose. Ma fille me dit qu'il est important de se rappeler le nom des rues. Je lui demande si le port de Montréal existe réellement. Elle soupire, se penche vers moi et dit que je n'ai pas encore l'âge d'être sa mère. Il faut rentrer. Refaire en sens inverse le même chemin. Il y a trop de neige pour voir les lignes sur le trottoir. J'avance, les yeux fermés. Nous nous arrêtons quelque part. J'ouvre les yeux. Je ne sais plus où je suis. Je demande si nous sommes arrivées au bout du monde. Ma fille répond: «Nous sommes arrivées chez nous.» Elle dit qu'ici on n'a qu'à traverser la rue pour changer de ville.

LOUISE DESJARDINS

Parthenais

J'étais absorbée par le froid, seule, un dimanche matin de janvier, rose et figé. J'attendais l'autobus 97 au coin de De Lorimier et de Mont-Royal, tout près de chez moi. J'étais fatiguée de la sloche et j'avais décidé d'aller voir de la vraie neige blanche, à la montagne.

— Ça fait-tu longtemps que vous attendez?

Je me retournai aussitôt et j'aperçus une vieille dame près de moi, emmitouflée dans un manteau de chat, usé. Son visage était crispé et elle avait la voix écorchée d'une grande fumeuse. Je ne l'avais jamais vue. Pourtant, je connais presque tous les vieux du coin. L'hiver, quand je vais chez MacDonald's, ils sont tous là à se faire des blagues en prenant un café. L'été, ils se tiennent au petit parc Cartier, en face de la Maison du rôti.

Je lui répondis que non, il n'y avait pas longtemps que j'attendais, mais que j'avais vu l'autobus s'éloigner au moment où je sortais de la maison.

— Où que vous restez? me demanda-t-elle, avec un sans-gêne qui ne me parut pas trop déplacé. Après tout, nous étions dans l'intimité de la rue déserte.

— Parthenais, pas loin de Mont-Royal, lui répondis-je poliment, et parce qu'il n'y avait évidemment rien d'autre à faire.

— Parthenais, ça me rappelle mon beau-frère, enchaîna-t-elle, et elle se rapprocha de moi pour pouvoir parler plus bas, même s'il n'y avait personne pour nous écouter.

— Bon, encore une histoire de prison, me suis-je dit, faisons un petit effort.

Mais je n'eus pas le choix, son moulin à paroles s'enclencha et ne dérougit pas jusqu'au moment où l'autobus s'arrêta devant nous. J'écoutais distraitement, mais ça n'avait pas l'air de la déranger. Elle monta péniblement, la première. L'autobus était vide et je ne voulais pas m'asseoir à côté d'elle. En même temps, je ne voulais pas la délaisser, par pitié. Je m'assis donc au milieu de la banquette à trois places située juste derrière le chauffeur. Elle s'installa en face de moi et continua à parler haut sans me regarder vraiment. Le chauffeur ne disait rien. Quelques personnes sont montées à Papineau, mais elle n'arrêtait pas de parler.

Elle m'avait dit qu'elle voulait descendre au métro Mont-Royal, mais elle n'en fit rien. D'autres gens montèrent dans l'autobus. Elle continuait toujours, accumulant les détails, et, peu à peu, je me laissai prendre, comme tout le monde dans l'autobus. Les vitres étaient embuées et on se sentait prisonniers de son histoire.

Elle avait acheté un triplex, rue Parthenais, un peu au sud de Mont-Royal et ne l'avait dit à personne de sa famille, de peur qu'on sache qu'elle avait un peu d'argent. Elle s'était liée d'amitié avec une de ses locataires, madame Gagnon. Elle prononçait grassement Gâgnon, en appuyant fort sur le *â*. Elle allait souvent prendre un café chez elle et s'assoyait devant la fenêtre de la cuisine qui donnait sur la ruelle, juste en arrière de la rue Des Érables. C'était la pièce la plus claire de la maison.

Un jour, elle vit ce qu'elle crut être alors un sosie parfait de Jean-Charles, son beau-frère, sortir par l'escalier de secours de la maison d'en face. Il était quatre heures de l'après-midi.

— C't homme-là ressemble à mon beau-frère, ça pas de bon sens, ne put-elle s'empêcher de dire à madame Gagnon. Pis j'me d'mande si c'est pas lui au fond. Ben oui, c'est lui, c'est son auto. Y embarque dans son char, j'la reconnais sa grosse Chrysler. Y s'est-tu acheté une maison sans me l'dire?

— Je ne sais pas ce qu'y fait votre beau-frère, dit madame Gagnon, mais cet homme-là rentre toujours chez lui vers neuf heures du matin, pis y repart vers quatre heures de l'après-midi, pis y revient des fois vers dix heures du soir, pis y r'sort vers onze heures et demie. Mais y est jamais chez lui les fins de semaine. Y fait une drôle de vie. J'sais pas comment qu'sa petite femme peut faire pour accepter ça.

— Mais, répondit la petite vieille, mon beau-frère Jean-Charles, y reste pas là, en face de chez vous. Y reste chez lui, avec ma belle sœur Rita, dans Rosemont, pas loin de chez nous. Pis y a pas d'enfant pantoute.

— Eh ben! C'est bizarre. Chus sûre qu'y ont une p'tite fille de trois ans à peu près. Chus ben, ben sûre, parce que la p'tite vient jouer dans' cour en bas avec les autres enfants, pis j'y parle des fois.

— C'est pas possible, madame Gâgnon, ça doit pas être lui parce que mon beau-frère pis ma belle-sœur y ont pas d'enfant. Ça fait vingt ans qu'y sont mariés. Y doit y avoir erreur s'a personne, ça s'peut pus.

C'est resté comme ça. Elle est retournée voir madame Gagnon tous les jours, jasant de choses et d'autres, sans jamais lui reparler de son beau-frère. Elle prenait son café distraitement, les yeux fixés sur la ruelle, sans broncher, au cas où le sosie de Jean-Charles sortirait, ou bien sa «petite femme», ou bien sa fille. Une fois, madame Gagnon lui demanda si elle avait éclairci l'histoire de son beau-frère, mais ma petite vieille lui a répondu sèchement:

— J'me sus trompée, c'ta pas lui.

Au fond, c'était bien lui, en chair et en os. Elle avait mis du temps, mais elle avait fini par tout comprendre. Au début, elle ne savait pas ce qui se passait, mais, peu à peu, les mille morceaux du puzzle se sont rassemblés dans sa tête. C'était une question d'horaire. La nuit, son beau-frère Jean-Marc travaillait aux usines Angus, de minuit à huit heures. Le jour, sa belle-sœur Rita, la femme de Jean-Marc, qui était infirmière, travaillait de huit heures à quatre heures, à l'hôpital Bellechasse. Quand Rita arrivait à la maison, vers cinq heures de l'après-midi, Jean-Charles était là pour le souper. Il repartait vers neuf heures et demie pour aller prendre une bière. Il était délicat, il ne voulait pas déranger Rita qui se couchait de bien bonne heure. C'est ce que Rita disait, en tout cas. Il passait toutes les fins de semaine avec elle; ils avaient même acheté un petit chalet à Lanoraie.

Les passagers l'écoutaient. Ils ne pouvaient faire autrement. La vieille n'omettait aucun détail, aucun nom, aucune adresse. On aurait dit qu'elle faisait un reportage à la télévision. Elle insistait sur l'horaire. Elle répétait «minuit à huit, huit à quatre» et cela scandait ses phrases comme le tic tac d'une horloge. Plus elle parlait, plus elle criait. Les mots bondissaient entre les arrêts. Au coin de Saint-Denis, elle fit une petite pause, puis elle continua.

Cela avait duré des années, dix ans, quinze ans peut-être. Ma petite vieille ne savait plus. Tout ce temps-là, elle voyait son beau-frère Jean-Marc sortir de la maison d'en face. De la fenêtre de madame Gagnon, elle passait de longs moments à observer la blonde de son beau-frère avec sa petite fille qui grandissait avec les années. Elle avait même appris le nom de la petite: Germaine.

Elle voyait parfois Jean-Charles, les bras chargés de sacs, revenir du supermarché avec sa blonde. Un jour d'été, il a montré à sa petite fille comment aller à bicyclette, comme le font les pères attentifs. Germaine avait l'air heureuse. La jeune femme aussi. Un après-midi d'été où les fenêtres étaient toutes ouvertes, elle entendit la petite fille appeler Jean-Charles «papa».

— Tout ce temps-là, vous le disiez pas à votre belle-sœur que son Jean-Marc était accoté 'ec une autre femme s'a rue Parthenais pis qu'y avait une p'tite fille avec elle?

C'est la seule fois que je l'interrompis. Elle s'arrêta net, regarda les autres passagers en hésitant un moment, comme si elle se dégrisait, puis elle dit tout bas:

— Non, j'voulais pas faire de scandale dans famille. J'y ai pensé, mais c'ta pas à moi à y dire ça.

Elle alla chercher son souffle et reprit aussitôt son histoire.

— Personne l'a jamais su, ça j'vous l'jure, que Jean-Marc avait une maîtresse. J'ai gardé mon secret. Je l'ai même pas dit à mon mari. C'ta pas de ses affaires.

Elle mordait dans le mot «affaires», le bec pincé comme pour se donner plus d'assurance encore. Elle pensait que tout le monde était heureux ainsi et elle ne voulait pas souffler sur le château de cartes de leur vie. Un jour, elle s'en est même confessée à un prêtre qui lui a conseillé de ne rien dire. Elle trouvait qu'il avait totalement raison.

À Noël et au jour de l'An, elle les voyait tous les deux, Jean-Charles et Rita, et rien ne paraissait. Tout le monde disait qu'ils formaient un beau couple. Rita était parfois un peu triste, mais la famille croyait que c'était parce qu'elle n'avait pas d'enfant. Jean-Charles était plein de petites attentions pour elle. Elle vieillissait et elle allait bientôt prendre sa retraite.

— J'me demandais ben c'que Jean-Charles allait faire de sa petite famille d'appoint le jour où sa femme irait pus travailler.

On approchait de la rue Saint-Urbain. Le chauffeur prenait son temps. Était-il, lui aussi, pris par l'histoire ou était-il simplement en avance sur son horaire? Il laissa les feux tourner au rouge au moins deux fois avant de traverser la rue Saint-Urbain, devant chez Beauty's.

La petite vieille au manteau de chat s'est alors mise à expliquer que les remords l'avaient prise. Elle avait longtemps hésité, puis elle avait décidé d'écrire une longue lettre à Rita pour lui dire de se préparer, que son mari Jean-Marc avait une maîtresse qui demeurait rue Des Érables, et qu'il avait une fille de dix-huit ans qui s'appelait Germaine.

— J'ai pesé mes mots. J'y ai tout' tout' écrit. Tout'. Mais j'ai pas signé.

Personne n'a su que Rita avait reçu une lettre anonyme, du moins personne n'en a parlé. Parce que Rita est morte deux jours plus tard, d'une crise cardiaque.

— Je l'ai jamais dit à personne, c'est vrai. Vous me croyez pas mais c'est vrai, c'est vrai, c'est vrai. Même pas à Jean-Charles, l'écœurant, l'écœurant, l'éc...

Puis, elle s'est effondrée quand l'autobus s'est arrêté dans la sloche au coin de l'avenue du Parc. L'air était grand, et la montagne, blanche. Très blanche.

FRANÇOIS PIAZZA

Sehensucht[1]

Dans ce matin de novembre, aux yeux du souvenir, le parc Lafontaine se changeait en étang de Hollande, ou bien de Mazurie, avec ses lacs en creux aux rives cimentées entourant un marais tavelé par les boues brunies et les miroirs noirâtres des flaques dégelées. Tout autour, des squelettes noirs arborescents, sur les pentes vert-noir tachetées de rouille, semblaient descendre lentement de la brume bruineuse qui couronnait le lieu. Ça et là, gauches et ramassés, silhouettes charbonneuses luisant d'humidité, des flâneurs au pas lent et articulé, longeaient les dalles de quai, le temps de se décanter du brouillard d'où ils venaient d'apparaître, avant de s'y estomper à nouveau.

Son bonnet d'astrakan aux oreilles rabattues engoncé dans son grand manteau noir, cambré, le pas raide et lent, le corps oscillant — oh tout juste un peu! — à chaque en-avant, portant beau, monsieur le professeur émérite, honoraire et donc retraité, en neurologie de l'université

1. Prononcer «Zen-zhour».

McGill, le docteur Ludwig Schiele promenait lentement ses quatre-vingt-cinq ans.

Certes, le temps était propice aux bronchites et à l'arthrite, maux chez lui récurrents. Yvonne Lapointe, parallèle de sa vie — tour à tour secrétaire, amante de substitution, maîtresse par intérim, puis épouse de fait appelée «gouvernante» — le lui avait bien dit en lui passant son pardessus «Vous allez attraper votre coup de mort! Soyez donc raisonnable, monsieur le professeur (car, hors les moments d'intimité sexuelle de jadis où l'impudeur la poussait à lui crier «Loulou!», elle l'avait toujours appelé ainsi). Restez donc au chaud! il fait un temps à ne pas mettre un chien dehors.»

«Monsieur le professeur» n'en avait cure! D'abord, par discipline: tous les jours il lui fallait sa marche de santé. Hors les murs et seul. Tant qu'il le pourrait... Pour ce faire, il n'avait que la rue à traverser, habitant face au parc Lafontaine. Ensuite, à son âge, vivre n'est qu'une suite de petits risques que l'on prend: on savoure chaque instant comme un pari gagné. L'un d'eux sera perdu. À tout jamais. Mais on l'aura vécu. Mieux vaut tomber foudroyé que mourir lentement, replié et perclus comme il en avait tant vu.

Enfin novembre et ce temps-ci... Ici, le brouillard est si rare qu'autant en profiter quand il passe, pour voyager dedans. Seul, au gré des volutes du passé se superposant sur les bouffées du gris montant des eaux. «Sehensucht»...

Le mot le dérouta. Le besoin de survie, devenu habitude, avait chassé depuis longtemps l'allemand de sa vie. Non qu'il en ait perdu la connaissance. Mais pensant boutique — du temps de l'hôpital et de l'université — en anglais, et la vie familière, — un peu dû à l'usage, beaucoup à ses amours et ses haines d'antan — en français, il lui était devenu désuet.

Il s'arrêta un instant, les yeux légèrement plissés fronçant les rides de ses tempes et le haut de ses joues. On eut dit un vieux cap-hornier scrutant la brume. «Sehensucht...» comment dire? «Nostalgie»? Ça n'est pas tout à fait ça... C'est un mot immobile, or «Sehensucht...»... «Spleen»...? Trop imprécis. «Blues» peut-être? Imprécis lui aussi, mais bien plus remuant. C'était un de ses jeux favoris: zigzaguer en pensée entre l'anglais et le français. Ça lui gardait, croyait-il, sa vivacité d'esprit. En fait, l'usage des deux langues laminait la primaire, sans toutefois l'effacer à jamais. Mais, surtout, cela faisait disparaître un mode de pensée et les certitudes de jadis. Ne croyant plus au certain, il avait choisi de vivre l'imprécis. D'où l'ancrage à Montréal, pour ne plus repartir. Montréal est une ville qui s'oublie et ne vit qu'au présent. Les marques du passé ne s'y superposent pas: au fur et à mesure, on les rase. Les oublie. Le bonheur y a le complexe de Peter Pan: le vivre c'est rester en soi un constant adolescent. Ainsi avait pris corps, puis âme avec les années, le docteur Ludwig Schiele, autrichien de papiers.

Né de l'oubli, après la catharsis lors du séjour à Zürich, du Medecinrat SS-Sturmbannführer[2], Frantz von dem Brücke-Slavsky, dernier du nom, descendant de Chevaliers Porte-Glaive, barons de la Courlande.

Il reprit sa marche lentement vers le promontoire où repose l'étang. Soudain le gris duveteux du brouillard l'oppressa: quelque part dans son passé, juché sur un char Panzer cahotant dans la boue, à travers des trouées du brouillard, verte et grise, il avait découvert la Courlande. Ses ancêtres l'avaient fait, l'épée au poing, fonçant sur leurs chevaux, à la poursuite du Paradis Perdu, le Levant

2. Correspondait au grade de major (armée canadienne).

de l'ancien dieu Wotan. Lui, en tant que vaincu, dans le reflux de la retraite, avec en bruits de fond d'un rêve s'écroulant les coups assourdis des tirs des chars russes dans la brume et la pluie.

Ludwig Schiele s'ébroua. «C'était un autre... Une autre fois...?» Une autre vie? Un autre qui? La Courlande n'avait existé que le temps d'un cauchemar. Même pas le sien: celui d'un homme en noir dont le seul mérite était d'avoir quarante-six ans de moins. Le brouhaha étouffé des voitures venant de la rue Sherbrooke le rassura. Sa terre natale d'adoption était la rue Laval, tout près de Roy...

Ses travaux sur les ganglions lymphatiques ayant eu les honneurs de «The Lancet», l'université McGill l'avait invité un semestre, puis lui avait proposé «la botte» comme on dit dans le métier: professeur junior, consultant au Royal-Victoria, et des fonds pour ses recherches. Plutôt que de loger dans les appartements de fonction (ce qui lui semblait «caserne») offerts par McGill, rue Prince-Arthur, il avait préféré s'installer rue Laval, près du carré Saint-Louis, quartier de bonne bourgeoisie au luxe discret, dont l'aspect avait quelque ressemblance avec celui qu'il venait de quitter à Zurich. C'est là qu'enfin, après une trop longue fuite et une lente quête, il s'était senti «être» et non plus devenir Ludwig Schiele. Frantz von dem Brücke-Slavsky y était mort à jamais...

Et puis, tout près, il y avait la rue Saint-Laurent. Comme nombre d'immigrants européens, il aimait bien plus s'y découvrir à travers des petits riens, dont il n'était pas conscient avant de venir, que s'y retrouver.

«The Main», en ce temps-là, avait encore un air d'Europe centrale. Les Grecs, les Juifs et les Hongrois n'avaient pas fui, saisis par la prospérité, laissant la place aux Arabes, aux Africains, aux Sud-Américains et aux Portugais.

Le soir, entre Sherbrooke et Rachel, la rue embaumait. Il flottait dans l'air, même les jours de froid, des effluves de frites, de gras et de charbon jaillissant des portes un instant entrouvertes ou des climatiseurs... Ah les fumets charbonneux des *T-bone steaks* s'échappant de chez Moïshe!

Puis il découvrit le «spiele»...

Dieu sait pourtant si, par atavisme, il était jadis peu porté à barguigner! Mais, pour donner à son appartement un début d'âme discret, ce n'est que dans la rue Saint-Laurent qu'il trouvait tous ces menus objets, quelquefois ridicules, que jadis il n'aurait jamais achetés, mais qui s'avèrent indispensables à l'exilé: bocks de bière à clapet, couteaux de Soligen et planchette de chêne sur laquelle on découpe les charcutailles de l'Abendbrot[3]. Tous un peu inutiles, par rapport à sa vie, ici. En fait, des alias qui lui rappelaient l'âme des objets d'autrefois.

Pour ce faire, il alla fouiner dans ces boutiques, moitié bazars, moitié comptoirs, où tout s'empile dans une anarchie contrôlée. Non sans mal: en lui l'atavisme balte et les réminiscences de la Junkerschule[4] répugnaient au désordre et au Juif. Ce fut d'abord pour lui curiosité malsaine, puis joie interlope de s'encanailler, avant de l'intégrer à son monde comme une normalité. Grâce à Moïshe Leibenovitch... Que son Dieu ait son âme!

Une tristesse fugace courba le docteur Ludwig Schiele. Il sentit comme une envie de ne plus vivre. Il se

3. Repas du soir, en Suisse en Autriche et en Allemagne, où l'on ne mange que des mets froids à part la soupe.

4. École d'officiers dans le IIIe Reich.

reprit presque aussitôt. La fatigue et l'humidité sans doute... Allons, du nerf! Encore vingt pas le long de la courbure et il atteindra le bout du lac pour retourner. D'ailleurs, la brume semblait se fondre autour des troncs noirs, reculant vers la rue Sherbrooke...

Moïshe Leibenovitch...

La première fois qu'il le découvrit au fond de sa boutique, il eut un haut-le-cœur. Avec ses rouflaquettes en tortillon que repoussaient les branches des bésicles derrière lesquelles on percevait deux petits yeux joyeux, sa kippa en pointe, ses lèvres sensuelles et quelque peu lippues, le tout surmontant un corps ventripotent qui faisait exploser la taille d'un pantalon noir dans lequel une chemise à grosses raies avait bien du mal à glisser ses pans, Moïshe Leibenovitch était l'image du Juif parfait.

Pour les fantômes du passé, baron de Courlande et Sturmbannführer, l'antisémitisme allait de soi. Sans haine — comment haïr quelqu'un qu'on ignore et qu'on ne côtoie pas? — mais par métaphysique: pour transformer le peuple en race, il fallait mettre les Juifs hors... Il fut trop tard quand Frantz von dem Brücke-Slavsky comprit hors de quoi...

Ce sont ces fantômes que le docteur Ludwig Schiele voulait conjurer, faire disparaître à jamais. Alors, il lui parla... Cru marchander un article et revint, en passant, le vendredi suivant, barguigner une horloge aux amours en biscuit peints en tons mignards, horribles, mais qui faisaient «viennois». Toute légende a besoin de détails. Il en était encore à peaufiner la sienne. Pris par le jeu, il marchanda avec d'autant plus d'ardeur qu'il détestait cette horreur. Autant la payer le moins cher possible... Il finit par l'emporter avec un rabais et un lien tenu. Il était devenu «Herr Professor», son accent trahissant le suisse-allemand. Le «Juif», lui, était devenu «Moïshe».

Petit à petit, la fantaisie devint une habitude. Il se créa, entre lui et Moïshe, un rite fait de réciprocités au bout desquelles naissait l'aventure: savoir quand le désir de l'autre atteignait son point de rupture. Un jour que Ludwig Schiele essayait encore d'abaisser le prix demandé pour la cinquième fois, Moïshe lui répliqua tristement:

— Je ne peux plus, Herr Professor, je ne peux pas... Je dois fermer. Il est déjà cinq heures et dans une heure, ce sera le sabbat... Revenez d'ici une semaine, Herr Professor, je vous le garde. Peut-être vous et moi aurons changé de prix...

— Mais, puisque tu veux me le vendre et que je veux l'acheter, pourquoi ne pas me donner tout de suite ton dernier prix?

— Pour le *spiele,* Herr Professor, pour le *spiele*... Le jeu, comme on dit en français... Gagne celui qui sait. Le prix du désir et celui qu'il pourra obtenir pour le réaliser...

— Alors, tu gagnes chaque fois...

— Que non, Herr Professor, que non... Tout jeu a ses lois, et je m'y soumets... Vous aussi...

— Tu perds et tu continues? Pourquoi?

— Mais tout comme vous, Herr Professor: pour le plaisir de se mettre en danger et de vivre une intimité. Rien n'est plus intime que le désir...

C'est ainsi que se créa une amitié qui dura pendant vingt et un ans jusqu'à la mort de Moïshe. Une amitié sporadique, que le docteur Ludwig Schiele tenait cachée autant par pudeur que par vulnérabilité. Avec Moïshe, il évoquait une vie antérieure qu'il créait par petites touches. Ne mentant qu'à moitié, il vivait par rétroaction, comme celui qu'il aurait voulu être au lieu de ce qu'il avait été. Le temps aidant, le mensonge occulta la vérité:

et d'un geste à peine esquissé par l'officier: à gauche, apte au travail. À droite...

Le docteur Ludwig Schiele frissonna. Maintenant, il surplombait le lac, une main crispée serrant les revers de son pardessus. Devant lui, gris mais enfin dégagé, le lac du parc Lafontaine servait de prétoire au tribunal de sa mémoire. Non coupable! Le Medecinrat Sturmbannführer Frantz von dem Brücke-Slavsky n'avait fait que son devoir. N'avait appris qu'à obéir. «Noblesse se tait.» On ne commente un ordre qu'après l'avoir exécuté. Il avait ordre de trier: il l'a fait. Quant aux autres... Il n'avait même pas le droit de savoir... De toute façon, toute guerre est une tuerie. Faut-il juger sur la manière?

Faux! répondit celui qu'il était devenu! Nous, médecins, n'avons qu'un ennemi: la mort. Même si elle finit par nous abattre. Nous devions nous battre pour lui arracher, oh juste le temps d'une vie! n'importe quel humain, et non faire le tri. Souvent, l'obéissance est le choix du confort et de la facilité. «Je vous demande... Mais je demande à qui?» se dit-il, «À Dieu? À l'histoire? Il faut pourtant quelqu'un pour nous juger. Sans ça, la vie n'a aucun sens!»

Le docteur Ludwig Schiele oscilla un instant: en lui comme un vertige. Sans doute à cause de cette solitude qu'il découvrait face à sa vie. Non, répliqua le médecin à part soi, cela m'a tout l'air d'un début de spasmophilie: d'ici peu les contractions vont suivre. Il faut entrer au chaud, prendre deux Reglan et relaxer.

Il se dirigea vers le passage clouté, oscillant mais toujours raide. Coupable Frantz von dem Brücke-Slavsky! Avec circonstances atténuantes: toute son enfance piégée par l'idéologie dominante dont il faisait partie! Et puis, il n'avait pas de Moïshe, lui...

il ne s'en souvenait plus, du moins spontanément. Sporadique, elle devenait cauchemar...

Ludwig Schiele existait d'abord grâce à Moïshe Leibenovitch. Bien qu'il fut empreint du respect de l'écriture et des diplômes, Moïshe Leibenovitch, sur le plan des idées, discutait en égal. Il leur arrivait, surtout l'été, de fermer boutique et d'aller palabrer sur les grandes idées, autour d'un *bratkartoffen*[5] arrosé de vin blanc, au *Luxor* (aujourd'hui disparu et remplacé par un bar bruyant!), chacun invitant l'autre tour à tour. Dans ce qui fit passer, à l'université, monsieur le professeur pour un original sur le plan des idées, il y avait une bonne part qui avait subi l'épreuve Moïshe.

Moïshe Leibenovitch...

Le docteur Ludwig Schiele résista au désir de se courber en avant pour compenser la montée qui grimpait doucement vers le sommet de la pente. Le brouillard devenait de plus en plus diaphane: les arbres et le chemin semblaient être couverts de buée...

Comme semblaient l'être les deux murs en blocs de ciment grisâtres et délavés qui entouraient la porte du ghetto de Varsovie, ce matin-là... Des êtres hagards, les bras levés, dépenaillés, les traits tirés par la faim et le siège, défilaient entre deux rangs d'hommes armés aux aguets, maculés de boue et de poudre, quelques-uns de sang séché, devant une table longue, au milieu de la rue, où siégeaient un officier et deux scribouillards... Ils n'avaient plus de nom ni de sexe... Il suffisait d'un regard

5. *Bratkartoffen*: un mélange à part égale de pommes de terre en escalopes et de tranches d'oignons, roussies à la poêle. Accompagné de bœuf fumé, c'est succulent!

Au fond, il a déjà été puni et moi j'ai expié pour lui: chacun de nous deux a été floué de la moitié de sa vie, Ludwig Schiele n'ayant jamais eu de jeunesse...

Une immense fatigue commençait à l'envahir, doucement, comme une marée dans la fin de son étalement. Un instant, il fut tenté de s'asseoir sur un banc. Pas question, dit le médecin: au trot et au chaud immédiatement! Et cessons de rabâcher ces histoires: de toute façon, à quoi bon? Comme dans la *Danse* de Dürer, la mort vous entraînera tous les deux dans la fosse commune du temps....

Le matin était devenu clair. Le bord de l'avenue du Parc-Lafontaine était presque désert. Tout juste, au loin, venaient deux joggers dont il ne voyait que les silhouettes sautillantes. Encore vingt pas, le passage de la rue Napoléon à traverser, et il était au chaud. Sauvé. Mais faut-il être sauf?...

Il s'arrêta près du passage piétonnier. Un immense ballon gonflait dans sa poitrine. Attendons que ça passe, dit le médecin. Respirer lentement. Il serait.. stupide, en plus de mourir, de se faire écraser.

Les deux joggers s'arrêtèrent près de lui. L'un lui saisit le bras et le dévisagea: *«Doctor Ludwig Schiele? What is wrong? Are you sick?...»*

Ludwig Schiele les regarda fixement. Non seulement il ne connaissait pas ces jeunes gens (leurs têtes ne lui disaient rien) mais de quel droit ils?... Il se sentit soudain très fatigué: le ballon venait de dégonfler mais ce n'était qu'un répit...

«Mais non, monsieur le professeur a compris», dit le second, en français. Il a peur... Comme ceux qu'il condamnait à être massacrés... Il connaît son Varsovie... N'est-ce pas, Freiherr Frantz von dem Brücke-Slavsky?»

Le ballon recommençait à enfler. Ludwig Schiele se sentit amusé, oubliant un instant le sentiment d'angoisse de la crise imminente. Il essaya de se redresser...

«Enfin, nous vous avons retrouvé! Après tant d'années! Vous avez cru que nous vous avions oublié, n'est-ce pas?»

Dans les poumons, le ballon était près d'éclater. Pendant un court instant, Ludwig Schiele eut envie de leur parler. De leur dire qu'ils perdaient leur temps. Fini Von dem Brücke-Slavsky! Depuis longtemps! Quant à lui, il...

«Nous ne vous ferons pas de mal. Une voiture va arriver d'un instant à l'autre. Un docteur va vous examiner. N'ayez crainte! Nous tenons à ce que vous soyez en bon état pour votre procès à Tel-Aviv...»

Un éblouissement, le temps de se dire: «Vais-je revoir Moïshe?...»

Une trouée de soleil jaunit le versant opposé du lac quand l'ambulance démarra en trombe vers l'hôpital Notre-Dame. Le brouillard était levé.

LOUISE BLOUIN

La perte

Je lui jetai mon cœur au fond de sa berline

ÉMILE NELLIGAN

Sophie a le vertige, son cœur s'affole; elle renverse son fourre-tout sur le comptoir, puis elle allume une autre lampe, persuadée d'avoir mal regardé. Les asperges blanches font une nature morte sur le carrelage; le pull voisine le poisson; les croissants au blé s'immiscent entre *L'événement du jeudi* et le t-shirt du Lux, et Sophie ne comprend plus rien, bouscule tout, puis se rend.

Le téléphone sonne; elle bondit au salon, fébrile.

— Bonjour!

— Salut, c'est Albert, t'as l'air essoufflée!

— J'ai couru, j'ai cru qu'on me le rapportait.

— Quoi ?

— Mon Nelligan... Si on le retrouve, on cherchera à me rejoindre, mon numéro de téléphone y est inscrit.

— Je ne te suis plus, explique-toi.

— J'ai perdu mon édition de Nelligan, tu sais, je l'avais amenée au bord de la mer, à Métis. Nous lisions en duo et tu m'offrais des roses sauvages...

— Mais, Sophie, il s'en vend partout, c'est une édition courante!

Il me semble que tu t'ébranles un peu facilement. Viens, on va aller souper au Saint-Hubert, puis te chercher ton idole à la librairie Champigny.

Sophie refuse l'ironie et l'invitation, change de sujet, n'ayant pas envie d'expliquer son désarroi.

Sophie avait cinq ans quand son père lui faisait inventer des animaux, des fleurs et des étoiles. Il s'amusait de ses mises en scène et elle se croyait magicienne.

— Un jour, disait-il, tu sauras lire. Et, sur les pages, naîtront des mondes imaginaires, comme les tiens.

Nelligan a été sa première rencontre profonde avec la poésie québécoise. Cet exemplaire, il l'avait suivie partout depuis vingt ans. Elle se sent trahie. Ce livre faisait corps avec elle, et l'égarer équivaut à perdre un point de repère...

À l'école, elle ne contestait jamais les religieuses. Ce n'était pas de la sagesse, elle trouvait que la vraie liberté surgissait sur les pages de son livre de lecture et dans ceux de la comtesse de Ségur. Mettre l'encrier à gauche, passer une ligne, boutonner son col, elle cédait sur tout, du moment qu'on la laissait entrer dans *Le temple du Soleil*!

Son père l'amenait à la Librairie de la Paix et elle écoutait les discussions. Plus tard, elle ouvrirait une librairie où les livres seraient gratuits...

Bien sûr, Albert n'a peut-être pas tort; elle peut lire la poésie dans une autre édition, mais elle ne peut se raisonner. Elle a perdu une maison, même un être vivant. La voici abandonnée! Une partie de son passé s'évanouirait!

Sophie avait dix-huit ans et, chaque matin, elle prenait l'autobus 80 pour aller au collège Sainte-Marie. Elle aimait surtout l'automne, pour les couleurs à la montagne; elle absorbait le paysage. Elle ne verrait plus d'arbres, ou presque, de la journée! En Philo 1, avec majeure en littérature, elle pouvait enfin se concentrer sur sa matière préférée. Elle lisait des romans et de la poésie française depuis cinq ans avec avidité. Elle se tapait des essais sur l'analyse littéraire, mais surtout, cette année-là en était une de bouleversements.

Sophie se fait un café noir, met le *Requiem* de Fauré sur le lecteur au laser, et malgré cela, s'agite, incapable d'accepter cette perte. Elle s'en veut d'être si déboussolée. Drôle de façon de finir la journée de congé qu'elle s'était accordée!

Elle s'était inscrite à un cours de poésie québécoise, ayant en tête quelques Lozeau, Fréchette et Nelligan, et avait été secouée par les propos du professeur. Il avait dessiné une cartographie du paysage littéraire québécois en poésie, multiplié les liens sociohistoriques avec les époques dans lesquelles naissaient les poèmes. Elle venait de découvrir que le Québec existait en poésie et, pardessus tout, qu'elle se reconnaissait dans cette géographie.

Le premier livre à l'étude avait été *Poésies complètes* d'Émile Nelligan. Elle le jugeait suranné et en découvrit la modernité et l'actualité. Nelligan métamorphosait sa vision de l'écriture. Elle avait appris par cœur *Le vaisseau d'or* et *Caprice blanc,* les avait récités à son ami vietnamien, qui habitait comme elle la rue Chambord. Elle-même écrivait des poèmes dont un fut publié par le journal du collège. D'accessoire, la poésie devenait, non seulement essentielle, mais aire de passion.

Elle s'est promenée à travers la ville, sans but précis. Elle n'a jamais le temps d'errer et elle aime partir à l'aventure dans sa propre ville pour regarder, se souvenir et enfin voir. Elle a envie de s'attendrir sur les êtres inconnus qu'elle croise, de repérer de nouvelles boutiques, de nouvelles odeurs, et, dans les restaurants, d'inventer des drames à chaque table. Elle déambule dans un théâtre où se superposent constamment décors et lumières.

L'après-midi, après le cours, elle allait à la cafétéria de la place Ville-Marie discuter de la nouvelle poésie avec des amis et échanger textes et photocopies. Elle travaillait durement dans un hôpital pour gagner ses études, et la poésie devenait alors une oasis. En lisant les poètes anciens et contemporains, elle se sentait devenir plus proche d'elle-même et des autres, surprise de s'intéresser pour la première fois à la situation politique du Québec.

Mais Sophie était, en même temps, sous le coup d'un autre choc.

Elle avait quitté la maison à huit heures et marché sur l'avenue Bernard, en riant des enfants qui mangeaient les flocons pour retarder l'arrivée à l'école. Plus tard, au Lux, elle commanda un bol de café au lait et un croissant, acheta *L'événement du jeudi* ainsi qu'un t-shirt pour Éric, l'ami européen. Elle lut *Clair de lune intellectuel,* sortit un carnet pour commenter ce titre étrange. Partout sur son chemin, elle lirait ce poète. Comme le Petit Poucet, elle sèmerait des vers.

— Vous oubliez votre livre, dit le serveur.

Elle était amoureuse d'une voix. En plus de son dynamisme contagieux, ce professeur était une voix. Aucun qualificatif n'était nécessaire. Absolument, une voix! Chaque cours était un rendez-vous secret et elle refusait d'être une adolescente attardée. Aimer son professeur, quelle absurdité!

Sur la rue Saint-Laurent, Sophie s'est arrêtée au parc des Portugais. Elle avait toujours adoré cet espace perdu où quelques immigrés viennent se demander s'ils ont bien choisi leur nouveau pays. Ce parc marque une rupture dans ce coin grouillant et sonore. Ce matin, elle a vu un couple s'installer sur un banc, malgré l'hiver. La femme, d'un langue hachurée, à voix basse, dévoilait sa détresse. Lui, criait, gesticulait et lui remit une clé. Elle s'accrochait, suppliait; il la bouscula. À dix heures, un couple, seul, derrière un rideau de neige, se déchirait, se haïssait. Sophie a assisté, muette, à cette scène. Les parcs ne sont pas créés pour les ruptures, mais pour les unions d'âmes.

Pourtant tout son être fascinait Sophie, l'énergisait. Elle s'attardait après les cours, posant des questions et amenant des poèmes. Lui, vigilant, s'étonnait de sa maturité et discutait des heures au café étudiant. Sophie ne savait plus, du professeur ou de la poésie, ce qui la hantait davantage. La voix, inéluctablement, traversait son corps. Elle rêvait. Et le semestre passait.

La dame pleurait sans retenue et Sophie a quitté le parc simplement, comme si l'infinie tristesse de cette femme lui était étrangère. Une lâcheté de plus! Mais ce n'est pas ici que Nelligan a fui son sac, car elle se souvient l'avoir rangé, après avoir lu *Le suicide d'Angel Valdor.*

La session d'hiver amenait la suite de ce cours et le retour de la voix. Sophie n'entrevoyait plus cette attirance comme une amourette nébuleuse d'adolescente. Elle désirait connaître cet homme et son absence, durant les vacances de Noël, avait creusé en elle une blessure. À la fin de décembre, elle lui avait écrit une lettre d'appréciation. À côté de sa note, «A», il lui avait sobrement signifié un merci.

La rue Saint-Laurent s'animait d'heure en heure et Sophie a rencontré un étudiant de l'extérieur, désorienté dans ce Montréal, «farouche», dit-il. Pourtant, sous la neige dense, Montréal semble un terrain de jeu, avec des maisons imaginaires. Le temps s'arrête. Les gens se travestissent en lutins, un peu déconcertés, mais ravis aussi. L'étudiant laissa sa peur, puis quitta Sophie, transformé en gnome joyeux.

Dès janvier, il avait parlé de poètes contemporains et en avait invité pour entretenir les étudiants au sujet des enjeux de l'écriture ou mieux encore des enjeux de leur vie. Un étudiant, aussi épris de poésie que Sophie, cherchait un éditeur. Maintenant, il est reconnu et toujours aussi passionné! Le professeur les amenait à la Casa Pedro où les lectures mouvementées impressionnaient la réservée jeune fille. Cependant, l'engouement pour la poésie devenait définitif.

Après, Sophie s'est acheté des *empenadas* en espagnol, dans une épicerie. Elle revit ses voyages, sur Saint-Laurent; quelques mots de la langue italienne pour les *tortellinis* maison la renvoient à Venise. Montréal, écho de ses errances européennes et mexicaines! Mais ce n'est pas en payant les pâtisseries hongroises qu'elle a laissé échapper Nelligan.

Pourtant, depuis le début de la deuxième session, le professeur la fuyait sans cesse, se faisait rare à la cafétéria et se sauvait après chaque cours. Même sa voix se monotonisait. En mars, Sophie eut envie de se libérer de son secret. Cet après-midi-là, la neige à sucre courait follement et, alors qu'elle le savait aux Gâteries, sur Saint-Denis (après les cours, il y allait toujours), elle le surprit, le précédant.

Sophie a fouiné dans les boutiques, a bifurqué sur Saint-Denis, puis s'est arrêtée au Witloof manger des endives au jambon avec un quart de blanc. Une légèreté s'est infiltrée en elle et elle se sentit protégée et heureuse. En attendant la salade, elle a lu *La romance du vin.* Le serveur lui a cité un vers, en lui racontant qu'André Gagnon lui avait remis une photocopie du célèbre poème. Après ce repas, elle a glissé le Nelligan entre le pull et les croissants.

— Vous n'étiez pas au cours? Je vous croyais malade!

— Non, je vous attendais, dit Sophie, en s'allumant une cigarette, cette béquille de la gêne.

Sophie avait l'impression que le professeur l'aimantait. Elle avoua.

— J'aurais... je désirerais... être toujours à vos côtés. Je vous aime.

— Sophie... Je vous ai fuie, mais mon sentiment amoureux ne me quitte pas. Vous savez, même à quarante ans, on peut être mêlé, indécis et submergé d'étonnement. En dépit de mon refus et de mes efforts pour rationaliser, je vous aime, de toute évidence.

Sophie a renoncé au métro, puis s'est rendue au Berri, pour le film *Jacquot de Nantes.* Elle a tant aimé à dix-sept ans *Les parapluies de Cherbourg,* imitant la coiffure de Catherine Deneuve, mais dans l'espoir de ne jamais renoncer, à l'encontre du personnage de cette comédie musicale. Elle serait heureuse de découvrir un film sur Jacques Demy, cinéaste tendre, en demi-teintes.

Sophie et la voix marchaient maintenant au carré Saint-Louis et la neige cristallisait leurs chevelures. Il l'embrassait avec une ardeur douce et, mariée de Chagall, elle survolait la maison de Nelligan. Elle se racontait, comme pour euphémiser l'émotion, la présence de son grand-père sur cette rue Laval, dans les années vingt.

Ce film, un peu biographique, met en scène la genèse de l'acte créateur. Même avertie du contenu, elle fut remuée de cette trajectoire axée sur la passion et sur la poétisation du réel. Toute une vie traversée par le désir de transposer! La mémoire, ce n'est pas le souvenir d'une anecdote, mais celui d'une émotion. Encore tremblante, en sortant du cinéma, elle a croisé un jeune homme qui ressemblait à un certain professeur. D'ailleurs, il l'a regardée intensément.

Le professeur lui remémorait l'enfance du petit Émile, puis ouvrit sa serviette de cuir.

— Sophie, j'ai peur de vous détruire. Peut-être suis-je lâche, soyons ensemble profondément amoureux de la poésie. Voici mon exemplaire annoté. Il y a là une partie de moi-même. Je vous la donne. Se lit ici toute l'histoire d'une passion. Adieu.

Sophie se rappelle maintenant avoir fouillé dans son sac pour un vulgaire paquet de papiers-mouchoirs, tapi au fond. Elle en avait sorti des objets, pour récupérer de quoi étancher ses larmes. Ce film l'avait laissée sans défense. Elle était d'ailleurs complètement absente du réel, ne savait ni l'heure ni le jour. Avant de prendre le métro, elle avait glissé comme une zombie, sur Saint-Denis, devenue elle-même le film et envahie par les yeux d'espérance du cinéaste, filmé quelque peu avant sa mort, au bord de l'océan.

Sophie téléphone au cinéma.

— Désolée, nous n'avons rien trouvé de tel!

Alors Sophie remet son manteau, hèle un taxi, pour aboutir, sans trop savoir pourquoi, au carré Saint-Louis. Elle gèle sur un banc, sans pouvoir lire les poèmes qui ont jalonné une partie de sa vie. Elle doit vivre un deuil.

Puis elle remarque sur un autre banc ce jeune homme du cinéma. De son veston, il tire un livre. Elle tend le cou, a le vertige: *Poésies complètes* d'Émile Nelligan.

Elle s'entend réciter *Soir d'hiver,* puis n'a plus froid.

DENISE BOUCHER

Filles de lilas

Nous avions dix-sept ans. Cécile regardait tomber la neige, dans le couloir de la ruelle où elle avait vue directe sur ses voisins du building d'en face et leur télévision. Elle pensait au mois de mai où elle était arrivée en ville, avec sa cousine Germaine, et où elles avaient marché pendant dix jours entiers, partout, avant d'entrer comme bonnes au château des Ogilvy, rue McGregor.

Tout à l'heure, en redescendant de la piscine, elle se demandait si elle allait passer l'hiver à Montréal à faire du ski de fond sur la montagne ou si elle partirait pour le Mexique. Germaine lui avait laissé une police d'assurance qui lui permettrait de jouir de sa si bonne santé, ici ou ailleurs.

Depuis qu'elle vivait seule, après avoir attendu en vain pendant dix ans que ses enfants, tous instruits, aient besoin d'elle, elle s'était décidée à bouger.

D'abord, elle avait cassé maison. «Et toutes les routines qui vont avec», avait-elle raconté souvent à tous ses cousins et cousines qu'elle était allée visiter dans l'Ouest canadien où ils s'étaient installés, avant la guerre 1939-1945, quand la province continuait de se saigner de son monde. Avec eux, dans chaque maison visitée, elle avait chanté les chansons de leur enfance et le *Canadien errant.*

Elle s'était attardée un peu plus longtemps chez Germaine qui était décomptée. Elle était restée auprès d'elle parce que la progéniture de sa cousine l'accusait de retourner en enfance du fait qu'elle ne voulait plus du tout parler anglais et qu'elle disait ne plus comprendre rien à rien de cette langue.

Tout le ranch était en détresse devant une si mauvaise volonté.

«*How can we take care of her?*» demandaient ses enfants et ses petits-enfants de la Saskatchewan.

Quand elles étaient toutes petites, Germaine et Cécile étaient toujours ensemble. On les appelait les bessonnes. Le mariage de Germaine les avait séparées. À soixante-quatorze ans, toutes les deux veuves, elles se retrouvaient.

«Je resterai tant que du voudras», lui avait dit Cécile avant d'aller se coucher. Germaine avait souri: «Dors bien, tu vas voir, je vais m'organiser une belle fin si tu es là. On va rire.»

Le lendemain matin, Germaine, qui n'était pas descendue de sa chambre depuis un mois, se pointa au petit-déjeuner. Sa fille, son gendre et leurs quatre enfants devinrent livides. «Mémé, dit l'aîné, *why do you do that to us. You want to kill us?*»

Ses trois sœurs reprirent en chœur: «*Go back to your bed,* mémé. *Go back to your bed,* mémé.»

Le gendre dit à sa femme: «Avec *this* créature dans la place, *all our life will be* chamboulée.»

Cécile avait tout entendu, mais elle vint s'asseoir à la table comme si de rien n'était et en s'exclamant devant les assiettes: «Vous mangez des steaks gros comme ça le matin?» Puis regardant dehors: «Vous avez dix voitures pour vous autres tout seuls?»

Le gendre gonfla la poitrine, péta ses bretelles et, après s'être raclé la gorge deux fois et gratté la bosse de bison avec sa fourchette, dit: «*May be we are not rich but we have a good living* et *all that belongs to us.* Dans l'Ouest, le *bread* est plus large.»

«Vous avez bien réussi», dit Cécile en regardant Germaine en riant: «Ça fait plaisir à voir.»

Le gendre sortit. La famille continua à manger. Pauline, la fille de Germaine la supplia: «*Gimmy a break mummy, come to bed with me.*»

«Pas tout de suite, dit Germaine. Je veux pas finir mes jours toute seule dans une chambre, au deuxième. Cécile va rester un peu avec nous autres. Tu diras à ton mari d'être patient. J'en ai pas pour longtemps. Mais, pour ce petit temps qui me reste, je vais m'installer dans le salon.»

L'un après l'autre, les quatre enfants finirent rapidement leur assiette, leur coke et partirent pour l'université.

«Dans le salon, je m'installe dans le salon», affirma Germaine. Vous allez le vider. On va juste garder mon piano. En se retournant vers sa cousine, elle lui demanda en levant lentement les deux bras de dessus son ventre: «Tu sais toujours jouer, ma Cécile?»

«Mais voyons, *mummy. And Paul? Cannot move the tv from the wall, it's part of it, mummy. You know that Paul will not take it.*»

«Ma fille, dit Germaine, tu vas faire descendre mon lit en bas et le lit de Cécile aussi. On s'installe là. Fais-toi aider par deux de tes engagés. Laisse-nous chacune un fauteuil et une table à café.»

Pauline se leva, alla au téléphone et manda *two of the men.*

Au moment où ils descendirent le lit, Germaine se mit debout dans la porte d'arche du salon. Elle ordonna aux hommes de placer son lit la tête à l'ouest. Elle voulait bien mourir mais en regardant vers l'est, d'où elle était venue.

Quand tout fut en place, Germaine monta dans son lit. Elle invita Cécile à s'asseoir auprès d'elle et, en lissant ses draps de flanellette, elle lui dit: «Toi, la chanceuse, qui as vécu à Montréal, dis-moi comment c'est Montréal maintenant. Mon Émile m'a toujours appelée sa fille de Montréal. "Je t'ai volée à Montréal", qu'il disait. Ce mot de ville-là le titillait. Même si je n'y avais vécu avec toi que deux mois. Tu te rappelles quand il était monté des Bois-Francs pour venir me chercher. Et que j'ai dit oui tout de suite? Il y a seulement une chose que j'ai regrettée par ici, tu ne me croiras pas, c'est Montréal. Parle-moi-z-en.»

Germaine ferma les yeux et Cécile: «Le carré Saint-Louis, tu le reconnaîtrais, les maisons n'ont pas changé. Moi, j'habite tout près, dans une tour, au vingt-deuxième étage. L'hiver, je ne suis même pas obligée de sortir dehors pour aller magasiner. Je prends le métro dans ma cave pour aller chez Eaton. Il y a tout une autre ville souterraine avec des cinémas, des restaurants, des boutiques, de la nourriture qui vient du monde entier.»

«Ah! Que tu me contes des belles menteries, ma Cécile», dit Germaine qui tout aussitôt sombra dans le sommeil.

Cécile se leva, ouvrit le piano, tourna le banc à sa hauteur, s'assit et se mit à jouer en cherchant des airs doux. Elle s'arrêta un moment puis commença à chanter *La claire fontaine* en s'accompagnant:

Je voudrais que la rose soit encore au rosier
Je voudrais que Montréal soit encore à nos pieds
Et le rosier lui-même soit encore à planter.

Quand Cécile revint vers Germaine, sa cousine ne respirait plus. Elle alla dans la cuisine pour en avertir sa fille Pauline qui vint avec elle, en tremblant. Elle prit le bras de sa mère, sans trop y toucher, comme avec des pincettes, le souleva comme pour le soupeser et le laissa retomber en disant: «*I was afraid of my husband for the tv. You cannot understand. I am sorry mummy*», et elle partit téléphoner.

L'avocat arriva au ranch vers le milieu de l'après-midi. Il fit la lecture du testament devant Cécile, Pauline et son mari qui héritaient de presque tout, on pourrait dire. Il n'y eut pas là de surprise. Sinon, ces dernièrs volontés de Germaine qui voulait des funérailles à Montréal, au printemps, à l'église Notre-Dame, et un enterrement sur la montagne, dans le cimetière juif, parce que là, il y avait plus de fleurs, tellement de lilas.

NICOLE HOUDE

Le temps volé

Un vieillard vêtu d'un pyjama bleu ouvrit la porte. J'aurais voulu ne pas voir ce sourire contraint qui découvrait ses gencives nues. La vive impression de pénétrer dans un lieu où chaque objet semblait las d'exister m'empêchait d'avancer. Je me frottais le poignet en attendant un événement qui m'offrirait quelque chose à dire ou à faire dans cet appartement étranger. Le vieillard s'est enfin tourné vers le divan-lit, il a crié:

— Estelle, c'est la femme du CLSC.

Elle n'a pas répondu. Le vieillard a de nouveau crié:

— Je suis fatigué. Je vas aller me coucher.

Cette personne, nommée Estelle, et moi, étions maintenant seules dans un espace rectangulaire livré aux soupçons. Il y avait là un divan-lit, une table, deux chaises, un téléviseur et un fauteuil, ce qui permettait de croire à un salon, à une chambre ou à une salle à dîner. À gauche, près de la salle de bains, un comptoir donnait sur une cuisinette. Il y avait surtout ces cheveux blancs sur les oreillers empilés, ces mains crispées autour des couvertures, cette vieille femme dont le silence était manière de se cacher. Lorsque j'ai posé ma main sur son épaule, tout l'effroi qu'elle retenait en elle a sursauté. Elle m'a examinée un instant, avec de la haine et de la souffrance dans les yeux. Elle a ensuite détourné la tête et a fixé le mur.

Je devais dire quelque chose, je devais faire quelque chose. Ici, il était possible de mourir n'importe quand. Ici, une fleur artificielle avait été plantée dans la terre craquelée d'un pot de violettes africaines séchées. Ici, une perruque recouvrait l'armature d'une lampe de chevet. Il était possible de devenir fou, ici, au douzième étage de cet édifice de la rue Laurier. Alors, j'ai murmuré: «Madame Bilodeau, je suis une auxiliaire familiale envoyée par le CLSC.»

J'ai lavé la vaisselle, les dents serrées, le cœur dans la gorge. J'ai nettoyé le comptoir séparant la cuisinette du salon hypothétique: des patates, des boîtes de conserve et de Jello, des pelures de carottes, des morceaux de gâteau, j'y ai trouvé de tout, même une paire de lunettes, même un collier et un foulard trempant dans la sauce renversée d'un ragoût. Souvent les choses ne sont pas claires, mais elles s'embrouillent bien plus encore en présence d'un homme et d'une femme presque arrivés à la fin de leur vie. J'y songeais en sentant le regard de la vieille dame rivé sur moi. J'ai balayé. Des gilets et des robes traînaient sur le plancher, entre la commode et le divan-lit. Je n'ai pas osé les ramasser.

Une sorte de nécessité flottait partout, dans cet appartement. Une inertie, comme si en laissant les objets à leur place, on pouvait empêcher la mort de prendre le dessus. J'ai dû me plier pour balayer sous le divan-lit. En me relevant, j'ai aperçu la vieille dame qui me souriait, assise, les jambes croisées, les couvertures rejetées près d'elle.

— Je m'appelle Estelle.

— Moi, c'est Josée.

— Assoyez-vous sur le lit.

À Montebello, elle avait travaillé dans un hôtel où elle avait rencontré des gens célèbres. Une lueur moqueuse dans les yeux, elle assurait:

— Moi, je suis venue au monde fatiguée. Je déteste balayer, faire le ménage.

Elle s'inquiétait à propos de Maurice, voulait savoir s'il était vivant. J'ai entrouvert la porte de la chambre. Maurice ronflait.

— J'ai peur qu'il meure. Tout le monde s'imagine qu'il est mauvais, mais c'est un homme bon: il m'a acheté une perruque quand j'ai perdu mes cheveux.

Estelle n'avait plus de famille, à part sa sœur Alma. Elle me parlait d'une madame Thivierge à qui elle téléphonerait demain. Elle me parlait des hommes distingués qu'elle avait connus, dans le temps. La nuit, disait-elle, elle s'éveillait; elle vérifiait si Maurice était vivant et mangeait des céréales avec du jus d'orange et des biscuits Breton qu'elle émiettait. Dans l'édifice, certains locataires la faisaient passer pour folle.

J'écoutais ses propos décousus, parfois en approuvant, parfois en me disant que c'était fini à cette heure-ci, que le colonel Aureliano Buendia ne respirait plus. J'avais envie de vomir, de n'être plus rien pour toujours, avec le colonel, de m'étendre sur le divan-lit, d'écarter cette femme de cette heure-ci. Je pensais à toi et je répétais tout bas: «Ne me laisse pas seule, Melquiades.» Bien sûr, tu ne pouvais pas m'entendre. Bien sûr, moi qui manque d'évidences, je devais me rendre à l'une d'entre elles: celle de cette vieille dame me serrant la main et m'expliquant l'intrigue de l'émision *Dynastie*. Plus tard, l'homme est venu rejoindre madame Bilodeau et il a applaudi avec elle devant les exploits d'un chien vagabond. Malgré moi, j'étais touchée par ce sourire d'enfant sur leurs lèvres.

Durant le souper, ils ont mangé très lentement. Il leur arrivait de se piquer la joue ou le menton avec leur fourchette. Il leur arrivait de baisser la tête en me découvrant si près d'eux. Le vieil homme m'a demandé un peu de café. La vieille dame m'a demandé une serviette. Ils tentaient tous les deux de m'empêcher de les regarder. Ils ne souriaient plus comme des enfants, ils souriaient désespérément en s'adressant à moi, inventant des prétextes afin de m'éloigner de la table. J'aurais pu les rassurer: je n'étais plus moi à cause de la mort du colonel, à cause de tant d'années remplissant leurs mains d'impuissance. Mais, affirmer: «Je ne suis plus moi», ça fait tellement partie du répertoire des vieillards que je n'ai pas osé m'avancer vers eux avec ces mots-là. La vieille dame gelait, souriait désespérément et m'a demandé son manteau. J'ai eu l'impression de toucher la mort en frôlant ses épaules. Ce repas ne se terminerait jamais. Puis, le temps s'est arrêté, j'ai eu nettement la sensation d'être attachée à la branche d'un châtaignier quand le vieil homme s'est écrié:

— Il manque une cuillère! Vous avez volé ma cuillère!

— Comment ça?

Il s'est précipité vers le tiroir des ustensiles, en a vidé le contenu sur le comptoir. Il s'est approché de moi en criant: «Vous avez volé ma cuillère!» Comme pour s'agripper à quelque chose, il s'est emparé d'une fourchette et l'a brandie devant mon visage. Sa main et la fourchette tremblaient, son bras droit oscillait, ses épaules tressautaient. Parce qu'il portait un pyjama bleu délavé, devenu transparent, sa rage et sa crainte d'avoir perdu à jamais sa cuillère s'exposaient ostensiblement. Les côtes, sur son thorax chétif, se soulevaient. La peau rare et flasque de ses joues se tendait autour de ses maxillaires saillants. Le regard hurlait dans ses yeux exorbités.

Un vieil homme, c'est très fragile, c'est un tout dont les éléments risquent de s'éparpiller à n'importe quel moment, dans n'importe quel endroit. En observant un vieil homme décharné, on se dit que ce cou, ces jambes, ces bras et ce thorax ne tiennent à lui que par la force de l'habitude, on se dit que ces os et ces muscles pourraient bien oublier ce qu'ils étaient, une seconde auparavant, dans ce territoire où abondent les rides et le désarroi. Je pensais, pendant que lui, Maurice Tremblay, vociférait son nom, vociférait qu'on le volait, pendant que sa femme baissait les yeux et remuait avec le bout de sa fourchette les épinards et les patates pilées dans son assiette. Quatre flacons de comprimés entouraient la tasse du vieillard. Il a avalé quatre pilules en buvant du café.

On lui avait sûrement volé le quart d'heure précédent puisque, maintenant, il me dévisageait en souriant, les lèvres retroussées sur ses gencives nues et mauves. Il s'est tourné vers sa femme et lui a demandé:

— Ça va bien, Estelle?

Il a fallu que je lise cet article de journal sur le zona, qu'il avait découpé un jour pour expliquer sa maladie au monde. Moi, je ne savais plus où j'en étais. Estelle murmurait que sa mère avait été une vraie martyre. Et lui ne comprenait pas pourquoi ça faisait si mal en lui, il ne pouvait pas rester debout très longtemps, il allait dormir. Estelle a soupiré:

— Il crie, c'est pas de sa faute, il est sourd.

Estelle a failli tomber en se rendant au divan-lit, à quelques pas de la table. Elle a frissonné, en s'appuyant sur mon épaule. Sur le fauteuil du salon, des monstres venaient s'asseoir parfois. Mais, regarder dehors, c'était encore plus terrible. Elle n'aimait pas ces fenêtres trop grandes, en face d'elle, d'où l'on voyait trop bien le ciel menaçant.

— Est-ce qu'il y aura un orage, cette nuit? Est-ce qu'il va tonner? Est-ce qu'il y aura des éclairs?

Allongée sur le divan-lit, elle ne cessait de parler. Elle était seule sur cette Terre. À l'âge de dix-huit ans, elle avait travaillé dans un hôtel où l'on disait qu'elle était belle. Sa jaquette empestait la sueur et l'absence de Dieu. Dieu avait toujours été absent de sa vie. C'est-à-dire que non, il avait tué sa mère, ses frères et ses sœurs, sauf la plus jeune, Alma. Parmi tous ces mots qu'elle prononçait, flottait l'idée de nécessité, l'idée de ne pas voir le fauteuil et le ciel menaçant. La vieille dame me touchait profondément.

Avant de partir, je l'ai embrassée sur la joue. Elle a serré mes mains. J'ai tenté de me dégager. Elle s'est agrippée à mes mains et m'a questionnée:

— Connaissez-vous le mot «civelle»?

— Non.

— Une civelle, c'est une jeune anguille. Connaissez-vous le mot «hallier»?

— Non, madame Bilodeau.

— C'est un groupe de buissons touffus.

— Oui?

— Et le mot «ramette», ça vous dit quelque chose?

— Non.

— Un châssis de fer sans barre. Moi, je connais presque tout le dictionnaire.

Elle faisait des mots croisés, dans le temps. Elle avait besoin de mots pour ne pas regarder le fauteuil et le ciel menaçant, en ce temps-ci qui n'avait plus rien de commun avec cet autre temps où l'on disait qu'elle était belle, dans les hôtels où elle avait travaillé.

Ce soir, Melquiades, je te raconte ce qui s'est produit durant ma journée parce que je manque d'évidences et que notre chambre est pleine de la mort de notre chat, le colonel Aureliano Buendia, dont tu refuses de parler. Nous sommes avant tout des lecteurs. Il y a trois ans, lors de notre première rencontre, nous nous sommes octroyé l'identité des personnages de Gabriel Garcia Marquez. Exister n'est pas chose anodine, exister pour repousser les impostures et pour se donner un visage qui dise «je t'aime» comme un défi. Ce soir, nous n'avons plus de visage, nous n'avons plus rien. C'est comme si la mort du colonel, chez le vétérinaire, nous empêchait de nous demander encore: «Qui sommes-nous?» Nous ressemblons à ces deux vieillards à qui on aurait volé une cuillère.

NAÏM KATTAN

La fin des cours

Elle n'a jamais cessé d'expliquer son nom, Fatina Russel Berger. Son père, diplomate, natif de Toronto, donnait à ses enfants, au gré de ses missions, un nom du pays où ils naissaient. Et elle était née au Caire. Fatina. Non pas Fatima, comme on a toujours voulu rectifier son orthographe. «Je ne suis pas musulmane.» Fatina. Séductrice, ensorceleuse, c'est un employé de l'ambassade qui le souffla à son père. Au début, elle lui en voulait et elle reprochait surtout à sa mère d'avoir consenti à l'affubler de cette singularité, d'une telle incongruité.

À l'école, on lui demandait si Russel était son beau-père ou si elle était une enfant adoptée. Non, son nom était le produit d'un hasard. Elle avait fini par l'accepter, l'adopter, et puis le proclamer comme un défi avant de le porter enfin, naturellement. Quand elle se maria, elle hésita entre Russel et Berger et décida de les garder tous les deux. Berger prononcé à la française car son mari, un Français envoyé par sa compagnie à Montréal, qui aima le pays, s'y installa et fit souche. «J'ai passé ma vie à expliquer», disait-elle. Elle déclinait son identité, telle une leçon apprise sans comprendre. Il n'y a rien à comprendre, lui disait son père. «Moi j'aime l'école», répondait-elle. «Vraiment?» Elle était une élève studieuse et sans éclat. On louait son assiduité, son opiniâtreté, son sérieux. Était-elle intelligente? «L'intelligence ne se mesure pas, disait son père. C'est tout simplement une capacité d'apprendre et de s'adapter.» Souvent, elle se demanda si sa soif d'apprendre n'était pas sinon suscitée, du moins exacerbée, par sa volonté de s'adapter et sa difficulté à le faire.

Quand, enfant, on lui demandait: «Que veux-tu être?» Elle répondait spontanément: «Je ne sais pas. Je veux apprendre.» «Apprendre quoi?» Elle disait: «Tout», et s'arrêtait, prise de frayeur. Tout. Il n'y a pas de fin. Quand, au collège, il fallut choisir entre Lettres et Sciences, elle répondit: «Les deux.» «Mais ce n'est pas possible.» «Pourquoi pas?» Devant tant d'appétit, le professeur répéta: «En effet, pourquoi pas?» Elle pourrait. Elle pourrait tout combiner. Elle apprenait vite et n'oubliait rien. «Un monstre», dit un autre professeur. Joyeuse, primesautière, l'école était pour elle un lieu ludique où ce qu'on dispensait n'était pas grave, encore moins utile. À la fin des études collégiales, son père lui conseilla de faire Droit. Pourquoi pas? À condition, se disait-elle, de ne pas pratiquer ensuite.

L'apprentissage terminé, tous les métiers lui semblaient inutiles et surtout ennuyeux. Comment peut-on passer toute sa vie dans le crime et le litige? Comment peut-on s'occuper jour après jour des malades, de ceux qui souffrent d'un mal de dents ou qui ont besoin de lunettes?

Après le droit, l'histoire, puis la philosophie. «Que veut-elle faire?» Quel métier pratiquer? «Je ne sais pas. J'y penserai quand j'aurai terminé mes études.» Elle ne jouait pas à l'espiègle. Elle le pensait vraiment.

Et les garçons? Elle n'était pas attirée par les étudiants qui l'entouraient et qui, d'ailleurs, la fuyaient. Ils n'avaient rien à lui apprendre. À trente ans, elle était toujours au début. «Elle ne demande rien à personne, disait sa mère. Elle n'a jamais manqué de bourses.» Dans sa chambre, toujours bien rangée, seuls les livres changeaient de place. «Là, elle est en plein dans la philosophie.» «Ne va-t-elle jamais se fixer?» Elle ne comprenait pas. «Elle ne fait de mal à personne», disaient ses cousines compatissantes et protectrices. «Les garçons? Elle n'a pas le temps», disait sa mère. Où trouverait-elle le temps? Et quel garçon voudrait d'une jeune fille qui termine un examen pour en préparer un autre?

Alain était différent de tous les autres. Taciturne, il fallait le chatouiller pour qu'il desserrât les lèvres, pour qu'il livrât finalement le fruit de sa longue et mûre réflexion. Ingénieur des mines, il se promenait entre Sudbury et l'Abitibi. Elle fit sa connaissance à la cafétéria. Hélène, une compagne des cours de philo toujours parfumée et habillée pour une grande sortie, le lui jeta carrément dans les bras. Il était venu la chercher à son retour de Rouyn-Noranda. «J'accepte ses invitations, confia-t-elle à Fatina, car en ce moment je n'ai personne d'autre.» Il fascina Fatina. Elle l'interrogeait sur les métaux, leur extraction, leur fabrication. Et lui, de détail en détail, n'arrêtait pas d'expliquer. «Tu as trouvé le secret», dit Hélène. «Il n'a jamais été aussi volubile.» Il confia à Fatina qu'il avait hésité longtemps entre la construction et les mines. «Et tu as fait les deux.» Il éclata de rire. «Comment as-tu deviné?» «C'est ce que j'aurais fait.» Abruptement, il se leva, la fit lever, la serra dans ses bras. «Tu es la femme qu'il me faut. Je t'ai toujours cherchée.» «Et Hélène?» «Ne t'en fais pas. Elle ne veut pas de moi. Je l'ennuie.» L'ennuyer? Tout ce qu'il a à dire sur les échafaudages, le béton, l'acier... Comment peut-on s'ennuyer? Alain n'avait jamais autant parlé de sa vie et Fatina l'écoutait, le regard intense, le sourire aux lèvres. Et lui aussi, à son tour, découvrait Ricardo et Hegel. Ils passaient leurs soirées à interroger, questionner. Quand il se déshabilla pour la première fois, elle inspecta son corps, passant sa main, palpant, soupesant. «Je n'ai jamais vu un homme nu, je veux dire comme cela, entièrement nu.» Et elle découvrait avec lui son propre corps, ses facultés et ses ressources.

Quand il partait en voyage, pour son travail, il s'absentait en elle et elle ne cherchait pas à évoquer son visage ou sa démarche. Il devenait une masse, une entité, une part du quotidien qu'il allait regagner, retrouver, sans changement, intact dans son déroulement.

Elle faisait des promenades à pied, ne téléphonait à personne, n'ayant envie de voir ni famille ni ami. Un soir, Alain lui avoua qu'il n'aimait pas les meubles que ses parents leur avaient passés, à leur mariage. Ils provenaient d'une maison de campagne qu'ils avaient vendue et croupissaient dans un garde-meubles. Surprise d'abord, Fatina s'est mise à soupeser le pour et le contre, le sens apparent et caché, le véritable désir d'Alain. En voulait-il à ses parents? Se sentait-il assiégé, pris en charge? Comment peut-on dire avec précision qu'on n'aime pas un fauteuil, un lit, une table, du moment qu'ils servent, qu'ils remplissent leur fonction? Elle se mit alors à la recherche d'un cours sur l'histoire du meuble et finit par en prendre un sur la décoration intérieure. Dès lors, toutes les semaines, ils allaient aux encans, dans les magasins d'antiquités, car, d'un commun accord, ils avaient décidé de meubler leur appartement à leur goût.

Fatina guidait Alain, éduquait son goût, faisant ressortir les avantages et les désavantages d'une couleur, d'un style. Et lui, ébloui d'abord et puis fatigué des discussions, écoutait et laissait faire.

En faisant leurs comptes à la fin du mois, ils s'aperçurent que leurs économies fondaient, s'épuisaient. Alain conclut: «Il va falloir que tu commences toi aussi à travailler.» Les chiffres étaient là, éloquents, indiscutables. À ce moment-là, elle hésitait entre un cours de psychologie et un cours de biologie. Elle retarda la décision et se mit à la recherche d'un emploi. Elle n'avait pas à aller bien loin. On lui avait offert des travaux d'auxiliaire, des charges de cours à l'université. Elle avait l'habitude de refuser, n'ayant pas besoin d'argent et ne voulant pas compromettre sa liberté de disposer du temps pour choisir les cours à prendre, selon un horaire non entravé. Alain se mit de la partie et l'aida à concilier une charge de cours en philosophie et un cours en biologie. «Tu sais, lui dit-elle quelques semaines plus tard, j'apprends autant en préparant mon cours qu'en suivant celui d'un pauvre type.» Car, en biologie, les mystères du corps demeuraient étanches. «Que veux-tu savoir?» s'exclama Alain, se sentant mis en question.

— Une femme peut devenir mère, lança-t-elle.

Il la serra contre lui tendrement, comme pour la protéger.

— Mais on n'a pas les moyens, Fatina, dit-il sans conviction.

— Pas tout de suite. Dans un an ou deux. Il faut se préparer.

Une de ses compagnes de cours de biologie lui confia qu'elle apprenait plus sur le corps dans un cours de danse flamenco qu'en biologie. Fatina l'accompagna le lendemain et s'inscrivit sans hésiter. Elle pratiquait devant Alain et quand celui-ci n'en pouvait plus de la perpétuelle musique, elle se contentait du miroir.

Deux mois plus tard, en revenant de la cuisine à la salle à manger avec un plat, Fatina sautillait en claquant ses souliers sur le parquet, Alain riait à gorge déployée.

— Que fais-tu là?

— Je pratique, dit-elle. Je ne te l'ai pas encore dit, ajouta-t-elle, soulagée de vider son sac. J'ai terminé mon cours de flamenco. J'ai adoré. Il y en avait un autre plus avancé pour celles qui veulent en faire une profession. Pas pour moi, même si cela ne me déplairait pas de monter sur scène, mais je ne suis pas prête. J'apprends une autre danse. La danse à claquettes. C'est très amusant.

Elle lui en donna une démonstration.

— Tu sais, à moins d'avoir un partenaire...

Il y avait tant d'attente dans son regard.

— Tu ne veux pas que je t'accompagne?

Elle fit signe de la tête.

— Quelle petite fille, Fatina. Il se leva, l'embrassa. Adorable, conclut-il. Au bout d'une semaine, il commençait à trouver moins drôle ses va-et-vient de la cuisine à la salle à manger en souliers à claquettes. Elle s'arrêta avant qu'il ne la trouve insupportable. «Je le suis», se dit-elle, bien qu'elle eût des doutes.

Comment connaître un homme, fut-il celui dont on partage la vie? Elle avait étudié la psychologie, la biologie. Rien n'expliquait les humeurs d'Alain.

Un jour, elle surprit son regard, fixe, intense, qui suivait une femme qui passait dans la rue. Ils étaient attablés dans un restaurant, rue Sainte-Catherine, attendant l'heure du cinéma.

— Que regardes-tu?

— Rien, dit-il.

— Mais si, tu dévisageais cette femme. Tu la connais?

— Il me semblait. Elle ressemble à une ancienne collègue.

— Ah oui? fit-elle, dubitative.

Il n'y avait pas de quoi s'en faire. Un homme regarde une femme. Elle aussi pouvait regarder des hommes passer. Rien que d'y penser la faisait sourire. Ce serait tellement ridicule? Mettons drôle. Qu'y aurait-il de drôle là-dedans? Elle, Fatina, trouvait toujours puériles les remarques que faisaient ses camarades de cours sur les garçons dès qu'elles se trouvaient seules, entre elles. Tout émoustillées. Elle ne comprenait pas.

Sans s'en rendre compte, elle s'était mise à observer Alain, à suivre son regard dans la rue, à le guetter. Il se sentait surveillé et détournait visiblement les yeux. «Regarde à ton aise, avait-elle envie de lui dire. Ne te prive pas, mon petit.» Cela l'agaçait, la dérangeait. Elle se regardait dans le miroir. Elle était bien propre, ses cheveux bien coiffés. Elle se mit à son tour à surprendre des regards d'hommes posés sur elle. Auparavant, elle se précipitait devant le miroir pour voir s'il y avait une tache sur son col, si ses cheveux étaient défaits, si le rouge à lèvres débordait; maintenant elle regardait à son tour les hommes, avec indifférence d'abord puis, à sa surprise, avec satisfaction ou dégoût. Avait-elle jamais regardé Alain? Vraiment regardé? Elle aurait été incapable de le décrire physiquement. De taille moyenne, robuste, sans signe distinctif. Un bel homme? Elle n'en savait rien. Un homme. Voilà ce qu'il était. Celui qu'elle avait connu et qui était son partenaire. Que faites-vous ensemble? Et elle répondrait à l'invisible interlocuteur: «Des études, des recherches.» Cela la faisait sourire.

Il regardait à nouveau une femme passer. Que faisait-elle avec cet homme? Souvent, il lui disait que ses cheveux étaient beaux et elle répondait qu'elle venait de les laver ou que sa robe était jolie et elle lui disait où elle l'avait achetée et ce qu'elle avait coûté.

Elle se mit à son tour à regarder les hommes et les femmes. Celles-ci la retenaient davantage. Leur coiffure, leurs vêtements, leurs souliers. Alain parlait de ses mines et elle n'avait d'yeux que pour les passants.

— As-tu pris un cours sur les hommes?

Il se croyait drôle.

— Non. Il n'y en avait pas. Et sur les femmes?

— Serais-tu jalouse? dit-il avec une pointe de fatuité.

Non. Elle ne savait pas ce que c'était. Un homme lui disait qu'elle était sa femme. L'unique. Et elle le croyait.

— À quels cours vas-tu t'inscrire? demanda-t-il sans ironie.

— Je ne sais pas encore. J'hésite entre la femme dans le roman québécois et une introduction à l'histoire de l'art.

— Cela m'intéresserait moi aussi. Qui donne le premier cours?

— Je ne me souviens pas du nom. Je crois que c'est une femme.

— Tu me le diras.

Non. Il ne l'accompagnerait pas. Les cours, c'était son territoire. Il n'allait pas déranger l'ordre. Elle s'était habituée depuis si longtemps, depuis toujours. Un intrus. Voilà ce qu'il était. «Je suis ton mari. Nous couchons dans le même lit.» «Oui, c'est vrai. Tu as raison.» Mais les cours, c'était à elle. À elle toute seule. Il n'insisterait pas. Et puis, où trouverait-il le temps? Il assisterait une fois, pour voir, pour la surveiller. La semaine suivante, il serait à Hamilton. Quand il parlait de ses collègues, il lançait en passant: «Et il a trois enfants, le pauvre.» Puis il s'était mis à dire: «Il a deux enfants.» Sans commentaire. Plus tard, annonçant la naissance d'un garçon, il s'exclama: «Quelle chance!» Elle ressentit un choc. «Pourquoi? Parce que c'est un garçon?» Il la regarda hébété. «Que cherches-tu là? Mais non. Un enfant. D'ailleurs moi, si cela arrivait, j'aimerais mieux avoir une fille. Toi?» Elle le dévisagea. Elle ne le voyait pas comme père. «Qui, moi? Pourquoi pas.» Il pouvait l'être autant que tous les autres. Elle reculait. Non. Pas lui. Pas avec elle. Et elle, Fatina, se voyait-elle comme mère?

— Nous sommes bien comme ça, dit-elle, conciliante, à regret.

— Je crois. C'est une lubie. Que ferions-nous d'un bébé? Pas maintenant. Pas tout de suite.

Ses collègues le taquinaient parfois. Surtout les femmes. «Et toi, quand vas-tu te décider?» Une fois, Berthe, une femme forte qui riait tout le temps, susurra: «Tu en es capable, Alain, j'en suis sûre.» Et elle cligna de l'œil. Quelle vulgarité! Oh, quand une femme est obscène!... Fatina n'appartenait pas à cette espèce. Une mère? Elle prendrait des cours. Comment emmailloter un bébé, comment le nourrir. Les petites maladies des enfants, comment apprendre l'alphabet. Le premières règles de calcul. Pour cela, elle serait merveilleuse. Mais elle n'était pas prête. C'était sûrement trop tôt.

Un soir, Alain l'appela de Windsor. Il n'allait pas rentrer le soir même comme prévu. Fatina quitta l'appartement. Elle se rendit rue Sherbrooke. Elle n'avait pas envie de s'enfermer dans un cinéma. Elle rentra et, devant l'écran de télévision, elle ferma les yeux. Non, Alain ne pouvait pas être un père. Elle ne l'imaginait pas avec un enfant, un enfant à elle. Elle sentit son corps brûlant, humide de transpiration. Elle était mariée à un homme et elle n'allait pas passer sa vie avec lui. S'en rendait-elle compte quand elle l'avait épousé? Et lui? Oh! il lui laisserait volontiers un enfant sur les bras! Il se promènerait d'une mine à l'autre, l'appellerait pour lui annoncer son retard ou son retour, demanderait des nouvelles de l'enfant. Et elle? Elle dispenserait les soins, passerait ses jours et ses nuits à nourrir, laver, endormir. Elle saurait comment faire. Elle apprendrait. Une femme mariée. Qu'était-ce le mariage? Elle n'avait jamais appris. Personne ne lui avait expliqué. Et Alain, était-il un mari? Elle cherchait à évoquer les gestes, les mots de son père. Mais elle avait été tellement prise dans ses études qu'elle n'avait rien vu, elle ne se souvenait de rien.

Le lendemain, Alain appela pour la prévenir de l'heure de son retour. Un après-midi d'automne. La chaleur n'était plus qu'un souvenir. Les feuilles mortes jonchaient les rues. Fatina se mit devant la fenêtre; puis, comme par réflexe, elle chercha son imperméable, mit ses souliers et ferma la porte sans bruit, comme si elle voulait éviter d'attirer l'attention ou de réveiller un homme qui dort. Dehors, elle eut le sentiment qu'elle venait d'arriver dans cette ville. La rue était toute neuve, à la fois familière et inconnue, elle lisait les enseignes des magasins, des restaurants, comme si elle déchiffrait une langue étrangère. Elle respirait et l'air était parfumé. Les rues surgissaient d'un brouillard et elle déambulait, survolait les croisements, une ombre, légère, sans pesanteur. Que s'était-il passé? Elle se souvint d'une promenade. Son père l'avait emmenée dans un luna-parc, au bord de l'eau. Des enfants montaient dans des voitures qui se cognaient, dans des montagnes russes. Elle lisait un roman de Jules Verne. Elle n'avait pas de devoirs. C'était l'été. Comment s'appelait le parc? Elle demanderait à sa mère. «Veux-tu monter?» «Non.» Cela ne l'intéressait même pas de regarder. Il l'avait poussée dans une voiture et elle s'était subitement trouvée dans un tunnel, précipitée à travers des dédales et elle se trouvait soudain, dans l'air, si haut, puis, la descente rapide, abrupte. S'était-elle évanouie? Elle était à côté de son père qui appelait: «Fatina! Fatina!» Étourdie, elle répondit: «Oui. C'est moi.» Elle revenait de loin. Elle se réveillait. «Oui, c'est moi. Je suis là.» Le parc Belmont. Existait-il encore? Elle irait. Elle monterait dans une voiture qui cognerait, qui serait frappée, et elle se réveillerait.

Elle avait grandi. Elle était une femme. Mariée. Elle pouvait revenir avec un enfant. On ne lui avait jamais appris. Personne ne lui avait expliqué la ville, les rues, les magasins. Et tous ces hommes et ces femmes qui couraient. Et la voilà qui se trouvait parmi eux, ombre parmi les ombres. Elle frisonnait de tout son corps. Elle ne savait plus si elle avait froid ou chaud. Elle s'arrêta devant une vitrine. Elle était là, les pieds sur le sol. Elle atterrissait. Son corps gagnait sa pesanteur. Elle n'avait jamais ressenti le poids de ses jambes, de ses bras. Et la voilà, plantée devant une vitrine. Son visage, un reflet, n'était plus une ombre. Il lui appartenait. Elle l'avait gagné, enfin récupéré. Je suis là. C'est moi. Fatina. Je sais. Un moi bizarre. Étrange. Moi, c'est moi. Je suis là. Fatina. Elle marchait d'un pas rapide, lisant les enseignes. Elle prenait possession des rues. Cette ville était la sienne. Elle était là, sur Terre. Son corps, de toute sa pesanteur, prenait acte des murs, des fenêtres. Elle en prenait possession. Elle rebroussa chemin. Elle répondait à un appel. Elle était Fatina Berger. Un homme l'attendait. Inquiet. Il l'aimait peut-être. Il le disait. Elle ne savait pas. Personne ne lui avait appris, personne ne lui avait expliqué. Elle allait introduire la clef dans la serrure. La porte s'ouvrirait et l'homme serait là. Il attendait. Je suis Fatina. Je suis là. Je rentre. Je n'ai pas de cours. Je n'apprends plus rien. Je n'ai jamais rien appris. Je ne sais rien. Il faut me dire non. Pas toi. Personne. Je vais prendre des cours. Il y en a. J'en suis sûre. Il y a des cours que je n'ai jamais pris. J'apprendrai.

Son souffle était rapide; elle sentit des gouttes de sueur sous les aisselles. Elle s'arrêta devant la porte. Les larmes coulèrent sur ses joues. Elle resta là un moment. S'essuya le visage, les bras. Elle, entière. Le sourire aux lèvres. Un pauvre sourire. Quelle pitié! Une grande fille et elle rêve du parc Belmont. Cette fois, elle montera dans la voiture sans hésiter et elle reviendra, toute fraîche. Elle vivra chaque instant de l'ivresse et elle ne sera pas étourdie. Et elle n'aura pas à crier son nom. Elle sera là, lumineuse, et tout le monde la reconnaîtra.

Ce soir-là, elle prépara le repas, consciencieusement, méthodiquement comme si elle passait un examen et ne voulait pas avoir une mauvaise note. Alain lisait des documents. En posant les assiettes sur la table, elle le regarda comme si elle le voyait pour la première fois. Il n'était pas gros, de taille moyenne, les cheveux peu abondants couvrant cependant le crâne. Comment a-t-elle laissé cet étranger, cet inconnu, investir son corps, semaine après semaine? Un compagnon d'études, suivant les mêmes cours. Cela la fit sourire et, prise de panique, elle voulait partir, non pas fuir, mais se retrouver. «J'existe», allait-elle crier. Mais il ne comprendrait pas et elle n'avait pas les moyens de lui expliquer.

— C'est bon, dit-il, la regardant distraitement.

Il lui faisait pitié. Il était si loin. Un petit garçon perdu. «Il ne faut pas s'attendrir.» Alors qu'il regardait la télévision, elle ferma la porte de leur chambre à clef, se déshabilla et se posta devant le miroir. Corps inerte. Elle leva les bras, remua les jambes. Elle vivait. Elle était en possession de ses gestes. Alain pouvait se mettre à côté d'elle, au lit. Elle ne serait pas là et il ne le saurait pas. Le pauvre. Le moment venu, elle partirait et il demanderait des explications. Elle serait loin, sûre de sa direction, traçant elle-même son chemin. Il n'y aurait pas d'explications. Alain n'existait pas. Un compagnon de cours. Il n'avait jamais existé. Elle se voyait, le lendemain et les jours suivants, partant tous les soirs, parcourant les rues au-devant de l'homme qui la cherchait, qui s'avançait à sa rencontre. Il avait une démarche, un regard, un visage. Elle le voyait dans une grande clarté. Elle pouvait le décrire, dessiner son portrait. Le pauvre. Cela faisait si longtemps qu'il parcourait la ville. Ce n'est pas un errant, protesta-t-elle. Il sait. Il me trouvera, maintenant que je me présente à visage découvert. Il me reconnaîtra. Cela fait si longtemps. Elle était tout excitée, impatiente de vivre enfin ce moment d'incandescence, de certitude, où elle n'aurait rien à apprendre et rien à expliquer.

ANDRÉ MAJOR

La stratégie de la surprise

C'était un dimanche après-midi de fin d'été aussi beau, aussi vide qu'un autre, avec un soleil tamisé par de minces nuages qui n'en finissaient pas de s'étirer, les cris des baigneurs et le bruissement sec de la brise dans le feuillage des pommiers aux branches arthritiques. Rien ne l'empêchait de se joindre aux autres; rien, sinon l'élancement d'une nostalgie réveillée un peu plus tôt par la visite des Racicot.

Il ne lisait pas vraiment, il rêvassait plutôt devant un livre ouvert quand le vieux couple encore alerte était apparu, souriant comme jadis, quoique visiblement mal remis de la mort de Luc, l'aîné des enfants, foudroyé par une Mustang alors qu'il sortait de son camion. Il y avait deux ans de cela, mais le temps n'arrangeait rien; c'était tout au plus une ombre qui recouvrait leur vieillesse. Lui, faute de trouver ce qu'il aurait fallu dire, préféra leur demander des nouvelles de leurs filles, en se gardant de nommer Carmen. Mme Racicot répondit que Jacqueline vivait toujours à la maison et que Carmen, de son côté, se débrouillait assez bien, malgré tout. Et, comme si ce détail pouvait vraiment l'intéresser, M. Racicot ajouta qu'elle travaillait toujours à la Universal Textiles où elle était contremaîtresse. Là-dessus, ils demeurèrent silencieux, tous les trois attentifs aux avances d'un écureuil roux qui semblait attendre une récompense.

Après avoir demandé des nouvelles de tout le monde, ils dirent qu'ils devaient partir et il se rendit compte qu'il avait oublié de leur offrir à boire. «Luc t'aimait beaucoup», dit Mme Racicot, une fois assise dans la Ford Escort. «Carmen aussi», chuchota-t-elle. Il se contenta de sourire en les saluant d'un geste de la main. De retour sous les pommiers, il ferma *Le survenant* et le posa par terre, revoyant ce lointain dimanche, le dernier des vacances, où ils étaient tous allés cueillir des cerises noires au bord de la rivière. Carmen arrachait les grappes en levant vers lui son regard embué d'un chagrin auquel il s'efforçait de demeurer insensible, lui qui souffrait d'avoir laissé repartir Micheline sans lui avouer que c'était d'elle qu'il rêvait, et d'elle seule. Il se rappelait encore le geste sec qu'elle répétait avec une régularité mécanique pour détacher les grappes des branches qu'il rabaissait vers elle. Leur seau rempli, ils avaient rejoint les autres dont les sous-entendus habituels l'avaient agacé plus que jamais. Il ne l'avait pas rappelée ni revue l'été suivant, les Racicot n'ayant pas loué de chalet. Mais, tout au long de ses études et même après, l'idée lui était souvent venue de lui écrire, surtout quand le hantait le souvenir de ses yeux pers braqués sur lui, quêtant il ne savait quoi, un simple sourire peut-être, une caresse ou une parole qu'il réservait à d'inaccessibles Micheline.

Ce lundi-là avait été long, humide et pluvieux, et il l'avait passé à préparer ses cours sur le roman du terroir, à regarder le feuillage dégoulinant de l'érable et à essayer d'imaginer d'éventuelles retrouvailles avec Carmen. Il avait même failli appeler les Racicot pour leur demander son numéro de téléphone, mais, plus il y pensait, plus il préférait adopter la stratégie de la surprise. Vers quatre heures, épuisé d'avoir tant tergiversé, il quitta son appartement pour se rendre dans le nord de la ville. Après avoir repéré l'Universal Textiles parmi une ribambelle d'entrepôts, de manufactures et de restaurants, il se gara non loin de la longue file d'Italiennes et de Noires au regard absent qui attendaient le bus, plus tout à fait sûr de pouvoir reconnaître la Carmen qu'il avait connue quinze ans plus tôt.

Une autre file d'attente se forma qu'il vit disparaître comme la première sans savoir si sa vigilance lui avait fait défaut. Plus déçu que vraiment furieux contre lui-même, il mit le moteur en marche, s'apprêtant à démarrer, quand deux femmes sortirent de la manufacture, leur imper sur le bras. La plus grande, une blonde assez voyante, se retourna pour verrouiller la porte tandis que sa compagne l'attendait en regardant le ciel presque clair maintenant. Elle portait un chemisier blanc, une jupe d'un vert acide, avec des fraises écrasées dessus, et des espadrilles de toile écrue. Les battements de son cœur ne pouvaient le tromper, bien que manquât au portrait la queue de cheval qui lui balayait le dos. Lui non plus, avec la barbe qui le masquait, n'était plus tout à fait le même.

Quand elle traversa la rue, attentive aux propos de sa compagne, il sortit de la Toyota en faisant un grand geste de la main, mais elle ne s'arrêta même pas. Ce fut seulement après l'avoir rejointe à grandes enjambées qu'il osa l'appeler par son nom. Elle ne parut même pas étonnée de le voir, comme si elle s'attendait à son apparition. Quand il lui proposa de la ramener chez elle, elle eut un court moment d'embarras avant d'accepter et de saluer sa camarade qui les regardait en fronçant les sourcils d'un air contrarié. Il baissa le volume de la radio au beau milieu d'un quator de Brahms, lui raconta un peu précipitamment la visite que ses parents lui avaient faite la veille et lui demanda, sans transition, quel était le chemin le plus court pour se rendre chez elle. Tandis qu'elle le guidait, il essayait de retrouver le fil du scénario qu'il avait concocté des heures durant. Les mains jointes sur le sac à main de paille tressée, elle regardait droit devant elle, n'ouvrant la bouche que pour lui dire de tourner à droite ou à gauche. «C'est là, passé la borne-fontaine», conclut-elle. Il se rangea tout doucement en se demandant ce qu'il convenait de dire ou de faire. «Tu n'as pas encore mangé, je suppose», dit-elle avec un sourire malicieux. «Je voulais surtout te revoir…

— Allons-y.»

Il la suivit dans le hall encombré de dépliants publicitaires qu'elle ramassa en un tournemain, puis dans l'escalier sombre qui aboutissait à l'appartement. Elle le fit entrer dans le salon qui ressemblait à une salle de jeu et lui demanda de faire comme chez lui pendant qu'elle allait chercher Sonia chez une voisine. Perdu dans ce décor familial qu'il n'avait pas eu la prudence d'imaginer, il demeura debout jusqu'à leur retour. Une fillette de six ou sept ans se présenta en le dévisageant avec le même regard grave que sa mère. Une tresse lui tirait les cheveux derrière les oreilles, dégageant l'ovale du visage dont le teint mat rappelait son grand-père. Elle tenait une espèce de canard barbouillé de gouache brune. «Oh, le beau canard», dit-il en s'approchant d'elle. «C'est une perdrix», répliqua-t-elle, l'air vexé, et il tenta de corriger son erreur en disant qu'il aimerait bien en avoir une pareille. «C'est facile à faire», se contenta-t-elle de répondre d'une voix un peu brusque où il crut déceler l'amertume de l'artiste incompris. «Ah oui, dit-il. — Tu veux pas savoir comment? — Je me le demandais justement.» Elle parut supputer un moment le sérieux de la chose avant de décréter qu'elle le lui apprendrait une autre fois parce que c'était l'heure de *Passe-Partout* et, là-dessus, elle alluma le téléviseur devant lequel elle s'étendit.

Il se rendit à la cuisine offrir son aide à Carmen qui n'en avait plus que pour une minute, et il resta là, appuyé contre le chambranle de la porte persienne, heureux de retrouver ce geste sec et précis dont il gardait le souvenir et cet air concentré qu'elle conservait, quoi qu'elle fasse: écouter ce qu'on lui disait ou trancher des tomates sur un fond de laitue, puis y répandre des débris de thon en conserve. Elle avait les cheveux courts, mais la même raie au milieu. C'était le seul changement qu'il pouvait détecter: cela, et des jambes que le travail avait rendues plus musculeuses. Elle apporta à Sonia sa part de salade dans un bol d'un blanc laiteux, puis l'invita à s'asseoir devant la table en demi-lune recouverte de formica. Ils mangèrent sans rien dire d'important, contrairement au scénario prévu selon lequel il devait avouer qu'il avait souvent pensé à elle tout au long de ces quinze années, elle qui avait mis au monde une enfant dont il n'avait pas prévu l'existence. La stratégie de la surprise, c'était contre lui qu'elle avait fonctionné, et il cherchait péniblement à s'en remettre. Un peu de sueur perlait au front de Carmen. Comme elle venait de lui confirmer que, depuis un an, elle avait de plus grandes responsabilités à la manufacture, Sonia rapporta son bol vide en réclamant son dessert. Carmen lui servit une boule de crème glacée au chocolat dans une soucoupe. «Après ton dessert, tu prends ton bain», dit-elle. Sonia grimaça. «On dirait que c'est une punition», se risqua-t-il à dire tandis que Sonia avalait sa crème glacée en silence.

Pendant que sa mère préparait son bain, Sonia resta près de lui, l'air d'attendre qu'il dise quelque chose —

n'importe quoi, pensa-t-il — par exemple, qu'il préférait, lui, prendre une douche. Elle voulut savoir pourquoi et il répondit qu'il s'endormait dans l'eau. Elle lui demanda s'il s'était déjà noyé. Il ne savait plus combien de fois c'était arrivé, mais chaque fois, quand il revenait à lui, il avait la peau fripée. Carmen était revenue, intriguée par la bonne humeur de Sonia qui menaça de se noyer si sa mère la laissait toute seule. Il avait retiré son veston de lin, mais n'osait pas le poser sur le dossier de sa chaise de crainte d'avoir l'air de s'imposer. Il s'y décida pourtant, bien qu'une voix lui chuchotât de n'en rien faire. Une sorte d'inspiration désespérée lui fit demander à Sonia si elle acceptait de lui faire une perdrix. Sans répondre, elle sortit de la cuisine pour y revenir aussitôt avec la perdrix dont le plumage visqueux lui tachait les doigts. Sa mère dit qu'elle n'aurait pas dû la peindre avant qu'elle ait séché. D'un geste rageur, Sonia laissa tomber la perdrix de papier mâché dont la tête se détacha, et elle courut se réfugier dans la salle de bains. «Tu veux encore l'avoir?» lui demanda Carmen avec un sourire qui le bouleversa. La perdrix décapitée gisait sur une feuille de papier ciré, au centre de la table.

Songeuse, Carmen écoutait le clapotis de l'eau tandis que lui, devant la table, essayait de dire qu'il avait eu tort de venir. «Dès qu'il y a quelqu'un, il faut qu'elle fasse l'intéressante. Avec mon père, tu devrais la voir: elle s'accroche à lui, une vraie sangsue. — Son père, lui, elle le voit de temps à autre? — Jamais.» Son «jamais», elle l'avait proféré sur un ton exempt de regret comme de colère. «Et toi, reprit-elle en levant vers lui des yeux assombris par la pénombre presque liquide, t'as pas d'enfant?» Il fit signe que non. «T'as jamais eu envie de te marier? «Disons que j'ai essayé au moins deux fois, mais j'ai dû mal m'y prendre. Et puis maintenant je commence à perdre mes cheveux...» «C'est pour ça que tu laisses pousser ta barbe?» et, là-dessus, elle le quitta pour rejoindre Sonia. Il entendit l'enfant rire d'un rire de ventre ininterrompu, comme si sa mère la chatouillait, puis exiger qu'elle lui raconte une histoire. Carmen lui dit: «Pas ce soir, ma belle.» Sonia s'efforça de pleurnicher, mais sans grande conviction. Comme elle traversait le corridor, dans une longue robe de nuit blanche qui lui donnait une allure fantomatique, il lui souhaita bonne nuit sans savoir si elle l'avait entendu.

Il était bien décidé à partir quand Carmen revint un peu plus tard avec un album de photos où il apparaissait bras croisés, adossé à un pommier, et sérieux comme tout. «T'as pas tellement changé, à part la barbe, dit-elle en approchant sa chaise de la sienne. Tu répétais toujours que le monde courait à sa perte, t'en souviens-tu?» Il se contenta de sourire, ému par le parfum d'herbe séchée de ses cheveux. Ils se taisaient devant ces images figées d'une époque de leur vie à laquelle quelque chose les rattachait encore, mais quoi au juste? Il n'aurait su dire s'il succombait à la banale nostalgie d'un âge où tout était encore possible ou s'il obéissait au pressant désir de renouer le fil rompu de leur histoire commune. L'une des photos montrait Carmen en maillot, le visage tourné vers l'objectif, les yeux agrandis par la surprise. Cet étonnement qu'il avait longtemps interprété comme un appel, il lui fallait maintenant apprendre à y découvrir autre chose. «Toi non plus, tu n'as pas beaucoup changé», s'entendit-il dire d'une voix qui lui parut trop grave. Mais elle demeura silencieuse, perdue dans une rêverie dont même les cris des enfants qui jouaient dehors ne parvenaient pas à la distraire. Et il eut tout à coup la certitude que les choses ne pouvaient aller plus loin, du moins pour le moment.

En le voyant se lever et prendre son veston, elle referma l'album et lui proposa du café. Il accepta après qu'elle lui eut affirmé qu'elle en prenait, elle aussi. Pendant que l'eau chauffait, ils sortirent sur l'étroit balcon donnant sur la ruelle. Une odeur acide de gazon frais coupé les prit à la gorge. Il frissonna quand elle posa sur son épaule une main légère comme une aile. Une voix d'homme appela, une autre répondit, puis le silence se refit comme se calme l'eau d'un lac, après avoir été troublée. La bouilloire se mit à siffler et elle retira sa main. Il se sentit alors aussi vide que la nuit qui venait. Ils burent leur café, assis par terre, les pieds contre les barreaux de la balustrade. «Il doit se faire tard, dit-il. Faut que j'y aille.» Dans la cuisine, comme il récupérait son veston, il vit qu'elle souriait un peu tristement. «Samedi prochain, ça te dirait d'aller à la campagne? Je pourrais t'appeler vendredi soir.» «J'attends ton appel», répondit-elle en enveloppant la perdrix dans le papier ciré. «Sonia t'en aurait voulu de l'oublier», dit-elle. Parvenu au bas de l'escalier, il s'arrêta pour lui demander son numéro de téléphone qu'il nota sur son poignet. Il était si troublé qu'il essaya d'ouvrir la portière de sa Toyota avec la clé de son appartement.

CLAUDE JASMIN

La Montréalaise

Mon fils conduisait vite. Trop vite. Je lui imposais une corvée, peut-être? La retrouver. Elle. Ma grande disparue. Je m'étais dit d'abord: peut-être est-elle revenue là, rue Bayle, où nous avions connu nos premiers émois. Mais non. La petite rue n'avait pas changé. Mais moi, Seigneur! Et elle?

Daniel rigolait: «Papa, tu ne la retrouveras pas, ou ce serait un miracle.» Dans le temps, en 1965, elle n'existait pas, cette bretelle vers la rue Saint-Mathieu, qui jette des tas de voitures sur le boulevard René-Lévesque. Un tout petit peu à l'ouest de notre premier nid, se dresse maintenant un imposant musée: l'architecture et son histoire. Un magnifique jardin avec des sculptures. Par ici, un jour, Gabrielle Roy, ma chère inspiratrice, regarda vers le bas de la rue où elle chambrait, à Saint-Henri-les-tanneries, et son émotion fit germer tout un «bonheur». D'occasion.

Un concierge, rue Bayle, tantôt. Il m'a regardé avec insistance. Le même que… quand… Mon amour, mon amour, je te retrouverai. Il le faut. Je suis libre à présent. Je suis à toi, bien à toi, tout à toi. Disposé enfin à vivre pleinement avec toi, mon amour.

Le petit appartement du bas n'a pas changé. Stores fermés partout. Dans la voiture, mon garçon (ah, je n'avais pas remarqué, il a déjà des cheveux gris, ah!) rigole. Je vais sous le balcon — j'y garais parfois mon vélo, l'été, quand je revenais de mon job de décorateur-étalagiste. «Cette bécane avait appartenu au champion du Tour de France, Louison Bobet», que je disais, en mentant, à Daniel.

On a roulé. Rue Rachel. Je me disais: elle est revenue dans le logis de son adolescence. La taverne, coin Saint-Hubert. Toujours là. Le père de mon amour, tous les soirs, y avait ses quartiers. C'était un simple employé de banque qui voulait changer le monde. Ses amis, Dupire, Laplante... Mon amour, elle, désolée: «Papa boit beaucoup trop». De la fenêtre, guetter sa sortie quand la taverne du coin ferme et se vide... son papa à elle qui marche de travers, qui va roter une partie de la nuit, qui va pleurnicher, ou même pleurer, frapper parfois! Pas là! l'appartement n'est plus au-dessus d'une banque mais surplombe une sorte de CLSC ou une coopérative. Le magasin de tricot y est. Le garage aussi. Mon fils lance: «Tu perds ton temps, papa, mais on visite la ville, presse-toi pas!»

La ruelle, le long du petit centre des loisirs, notre cachette. Longues minutes à nous embrasser, à nous étreindre. Dans l'étroite coccinelle beige. Des gamins qui nous remarquent: «Encore les amoureux! Pas de *french-kiss*, là!» Soudain, ta mère qui revient de faire ses courses: «Si elle me voyait!» Coin Saint-Denis et Rachel, une autre banque: tu m'y attendais toujours, le matin, puisqu'on travaillait pour la même société. Pratique. Baisers frais du matin. Amour! Presque en face de la banque, un resto, grec ou chinois — je ne sais pas. Risques. Y entrer. Bravades niaises. Y siroter des cafés fades.

Ma gêne, subitement. La peur. Paraître un peu fêlé: «Tu sais, si je ne la retrouve pas, ce n'est pas grave.» Mensonge. Je veux te revoir. Je t'aime encore, je t'aime encore. Trente ans plus tard! Je t'aime plus que jamais, mon amour. Je veux te retrouver.

La rue Molson, près de Bélanger. Une petite maison timide. Le logement de sa petite enfance. Mon amour qui fait chaque jour des kilomètres pour aller à l'école des filles, rue Christophe-Colomb. Quatre fois par jour, marcher de la rue Molson à Christophe-Colomb. Ça lui faisait deux belles jambes. Elle me parlait du résultat heureux de ces longues promenades scolaires. Ici, dans son temps, en 1945, entre Rosemont et Villeray, des champs en jachère, aussi des potagers improvisés, ceux des Italiennes. Ma Montréalaise n'y est pas.

Daniel sourit: «Si tu la retrouves, tu fais quoi, papa? Tu dis quoi?» Je le regarde. Je n'y ai pas pensé. Oui, en effet, quoi lui dire? «C'est moi! je t'aime! Tu es libre? Tu m'aimes encore? J'espère que tu m'aimes encore un peu. Tu es libre, toi aussi?»

Personne, rue Molson. Un pannonceau discret: «À louer». Nous étions venus rue Molson, un soir. Pour rien. Pour voir. Pour regarder la maison de mon amour, enfant. Pour les souvenirs. Rien de bon. Soudain ses larmes encore. Notre prison. Moi pas libre, si rarement libre. Jamais le week-end. Les enfants à élever. Une épouse en mauvaise santé. Ma passion pour l'enfance, un interdit. Attendre donc qu'ils grandissent. Sinon... on ne sait jamais ce qui peut arriver et alors les remords, la culpabilité, ce poison intolérable.

On roule. Mon fils fume. Moi, j'ai cessé, il y a cinq ans. Garder la santé. Ménager la monture. Car, la retrouvant, il y a une vie à reprendre. Un grand reste de vie. C'est le printemps. Coin Beaubien, un gros bouquet mauve dans un jardinet. La fleur de l'angoisse, de l'anxiété: le lilas. Ça sent bon!

Elle n'est pas rue Cherrier non plus. L'école du coin y est toujours. Les vieilles maisons. Mon amour y avait déniché un coquet logis, coin Mentana. À l'arrière, une petite cour avec de vieux pavés, des arbustes partout. Discrétion. Une vraie cachette. J'y allais pour prendre des bains de soleil. Bronzer au plus tôt. À la mode du temps. C'était en 1970. «Pas là!» Un voisin m'ouvre la porte, un personnage connu, une vedette de la télé: «Non. Je ne l'ai jamais revue, ta blonde! Jamais. On m'a dit qu'elle vivait avec un riche producteur, Côte-Sainte-Catherine, dans le haut d'Outremont.»

Oh ma petite *script-girl* du temps des amours défendues, où te caches-tu vraiment? Ne pas la déranger. Est-elle heureuse? Couple prestigieux! Elle a son producteur bien à elle, elle qui est devenue réalisatrice. Bien. Ne plus bouger. Je sonne rue Cherrier. Au cas où. Une rupture? Des moineaux s'égosillent dans les parterres. Un arbre joue à l'été, plein de feuilles déjà mûres. Le vent frais dans mon cou. Ah, la retrouver, me reprendre, corriger le passé. Un vieux barbu ouvre la porte: «Non! Connais pas! Je regrette.» Barbu bourru. Porte qui claque.

Pas loin de là, rue Berri, Place du Cercle. J'entre dans le hall. Son nom n'est pas au tableau. Elle habitait un appartement du quatrième en 1967 et 1968. Des humains pressés sortent du métro. Tout ce monde, une fin d'après-midi? Un dimanche? Tout ce monde! Tant de rues! Me coller une affiche au dos. Homme-sandwich: «Je cherche mon amour! Aidez-moi. Brune aux yeux pers.» Ridicule.

«Viens, on va aller place Frontenac. On ne sait jamais!» Dans la rue du même nom.

Mon fils sourit et jette son mégot le plus loin qu'il peut d'une seule pichenotte! Lui, tant qu'il roule dans sa jaguar...

1960. Elle m'avait expliqué: «Ça vient de se construire et c'est beaucoup moins cher qu'à la place du Cercle, ici.» Du balcon du douzième, nous regardions la cour de triage, le jeu si lent des trains qui s'installent pour la nuit. Là, il y avait aussi l'entrepôt de mets chinois prêts à servir, angle Bercy. Ah, il y est! «Tu vois, Daniel. J'ai une bonne mémoire, hein?» Le hall. Son nom n'y est pas! Pas plus ici que rue Berri. Je ne la retrouverai pas.

Mon fils le débrouillard. Il a déjà distribué des films-documentaires. Il connaît tous les producteurs. Il a fait des téléphones pendant que je me promenais rue de Bercy, derrière la rue Ontario et la place Frontenac. «Papa, il y a un producteur, près de Côte-Sainte-Catherine, rue McCullough. On y va?»

Il sourit de plus belle. Il se fiche de moi? Peut-être qu'il n'aime vraiment pas voir son père, veuf, cherchant une ancienne flamme. Il m'a dit: «Le passé c'est le passé, p'pa!» Outremont en haut. Tant d'arbres. Si loin de la rue Bayle, de la rue Rachel, de la rue Molson... De si somptueuses demeures. Elle, ici? «Moi, ces longs escaliers-là, pfiou, jamais je n'habiterais ici», soupire Daniel, goguenard. Roulons. Le boulevard en impose. «Ce serait là, regarde l'adresse», me dit le fils. Oh, un producteur prospère, cet homme! Daniel tripote un petit bottin. Il y a le numéro de téléphone du producteur. Cabine téléphonique rue Laurier, près de Durocher. Je signale, je tremble un peu. Je me dis que ça n'a pas marché, qu'elle l'a quitté. Mon amour n'aimait pas le clinquant, ni l'arrivisme, ni le fling-flang. Ça sonne. On décroche le combiné. Une voix de femme. Ce n'est pas mon amour. Je ne crois pas. Je donne le nom de la personne que je cherche. La voix, trop vieille pour être celle de mon grand amour perdu, de ma Montréalaise adorée. «Vous ne la trouverez pas! Jamais! Le cancer! L'an dernier. Juste à la veille de Noël.»

Je crois bien que je n'ai jamais tant pleuré. Devant mon fils. En roulant, partout, dans toutes les rues de Montréal. Le noir.

LOUISE WARREN

Montréal ne sera jamais l'été

C'est dimanche, jour des souliers serrés, des autos qui ne viennent pas stationner dans notre rue. En face de l'enfance apparaissent les maisons placardées.

Trop. Trop lourd d'images. Une vaste scène de théâtre avec des gens pressés, des fleurs qui crèvent dans les pots et des fontaines de bronze qui s'ennuient sous les rideaux de pluie. Je ne peux pas arrêter une ville à un lieu, un angle, un monument. Les chapeaux volent et les trottoirs s'ouvrent. Cela se démolit et se reconstruit. Un texte. Avec mon père qui entre dans les banques et les maisons en démolition. Ses poches sont remplies de poignées de porcelaine. Parfois, il ramène carrément les portes.

Ce qu'il y a de certain, c'est le pas qui avance dans la rue. Celui d'un homme qui traîne une porte derrière lui et un cri qui descend le long des maisons.

Est-ce vrai que j'ai vu courir un homme brun, échevelé, un poignard planté dans le dos, et la robe de ma sœur, étendue en éventail dans l'herbe? De quelle autre certitude ai-je besoin, ma tête racontée dans la légèreté du parfum, dans la soie bleue de ma sœur, un livre ouvert sur nos genoux, à l'abri.

Ce qu'il y a de certain, c'est ma main fermée, collante. Les caramels que mon père me donne quand je vais le visiter au magasin. Un comptoir de bois sombre nous sépare, une caisse enregistreuse ancienne, une pile de journaux. Derrière lui, de grandes vitrines remplies de pipes, de briquets brillants. Dans la tabagie, je n'entends pas ce que me dit mon père. À la place des mots, les boules de billard s'entrechoquent, glissent sur le tapis. Dans la pièce adjacente, les voix rauques traversent la fumée des cigares. La salle de billard n'est plus qu'un immense tapis vert où roule ma tête de dix ans.

Floue, la voix de mon père. Ce qui est certain, c'est qu'il chante le dimanche en se rasant. Dans mes souliers serrés, je chante aussi. *Dites-moi papa, la vie est belle. Dites-moi papa, la vie est gaie.* Après la messe, une chorale d'enfants vocalise sur le toit d'une église et une photo est prise ce jour-là. La vie est gaie quand il y a des danses dans les parcs et de l'eau dans les pataugeuses. Mais Montréal ne sera jamais l'été.

J'entre dans la gare Windsor. J'entre des centaines de fois. Projetée dans la lumière. Un vol de pigeons. Une boîte aux lettres dorée. *La salle des pas perdus,* dit mon père solennellement. Et je tiens fort sa main. Ne pourrions-nous pas marcher plus vite? Comment se perdent les pas? Des choses mystérieuses, inquiétantes, qui ne doivent pas arriver aux enfants.

Floue, la voix de mon père qui raconte la gare enchantée et la grande horloge dans le bruit métallique des grilles accordéons qui se referment derrière nous. Plongée dans la noirceur d'un wagon de train, la laine de la banquette pique davantage le derrière des genoux. Droits devant moi, pointés dans le vide, mes pieds restent ensemble, mes bas déroulés se touchent, mes souliers sont solidement lacés, je n'ai sûrement pas perdu mes pas.

Dans les lumières du soleil qui se couche, les trottoirs brûlent, arrachent la peau des enfants qui tombent. Le sang sur la ligne blanche. Les accidents dans notre rue. Les incendies la nuit. Et des parfums très doux s'en vont à l'opéra. Roulent les perles du collier de la dame à la fourrure blanche, roulent dans l'égout.

Les pas effacent nos lignes. Marelle de craie et de sang séché. Effacent aussi les tables de multiplication. C'est trop de chiffres. Trop d'adresses. Une maison brûlée, ça laisse des trous. Une vue sur le ciel à la place d'une cuisine. Où sont les chaises?

Je laisse aller le centre-ville, de l'intérieur d'une voiture, toutes fenêtres ouvertes, avec les premières odeurs du printemps qui coule, qui fuit, et le cri d'un homme que j'ai certainement entendu.

Notes sur les auteurs

EMMANUEL AQUIN

Emmanuel Aquin, né à Montréal, a publié deux romans chez Boréal: *Incarnations* (1990) et *Désincarnations* (1991). Il prépare un troisième roman.

NOËL AUDET

Noël Audet est né en 1938, à Maria, sur la baie des Chaleurs. Il enseigne au Département d'études littéraires de l'Université du Québec à Montréal depuis 1969. Il a collaboré à des journaux et à des revues littéraires, dont *Le Devoir, Lettres québécoises* et *Voix et images.*

Il a publié, entre autres, *Quand la voile faseille,* Éditions Hurtubise HMH, 1980 (récits), réédité en livre de poche dans la coll. «Bibliothèque québécoise», 1989; *L'ombre de l'épervier,* Éditions Québec/Amérique, 1988 (roman); *Écrire de la fiction au Québec,* Éditions Québec/Amérique, 1990 (essai).

ROBERT BAILLIE

Robert Baillie est né à Montréal en 1947. Il entreprend son œuvre romanesque en 1980 avec la publication de *La couvade.* Suivent *Des filles de beauté* en 1983 et *Les voyants* qui lui mérite le prix littéraire Air Canada en 1986. En 1988, il fait paraître *Soir de danse à Varennes,* puis remporte le prix Molson de l'Académie canadienne-française en 1990 avec *La nuit de la Saint-Basile.* Tous ses livres paraissent à l'Hexagone.

LOUISE BLOUIN

Née à Montréal en 1949, Louise Blouin est recherchiste et chargée de cours à l'Université du Québec à Trois-Rivières. Elle a contribué à la constitution d'archives dans les domaines radiophonique et télévisuel et collaboré à plusieurs ouvrages sur ces sujets. En plus de participer à diverses revues, elle a publié *Griffes de soie* (poésie, l'Arbre à Paroles, 1991) et préparé les anthologies de poésie *Des mots pour rêver* (Écrits des Forges / Éditions Pierre Tisseyre, 1990) et *Poètes québécois* (Écrits des Forges / Le temps parallèle / Koudhia, 1991).

DENISE BOUCHER

Denise Boucher est née à Victoriaville en 1935. Poète et dramaturge, elle écrit aussi des chansons. Elle a fait paraître, entre autres titres, aux Éditions de l'Hexagone, *Lettres d'Italie* (1987), *Retailles* (en collaboration avec Madeleine Gagnon, 1988), *Les fées ont soif* (1989) et *Paris Polaroïd* (1990).

ANDRÉ BROCHU

Né à Saint-Eustache en 1942, André Brochu participe, en 1963, à la fondation de la revue *Parti pris* et devient, la même année, professeur de littérature à l'Université de Montréal. Il est l'auteur de plusieurs recueils de poèmes, de quelques récits dont *La croix du Nord* (prix du Gouverneur général, 1991) et de nombreux essais critiques. Il dirige la collection «Poésie» à l'Hexagone.

GAÉTAN BRULOTTE

Gaétan Brulotte est né dans la région de Québec. Il a notamment publié un roman, *L'emprise*, une pièce, *Le client*, ainsi que deux recueils de nouvelles, *Le surveillant* et *Ce qui nous tient*. Traduits en plusieurs langues, ses écrits lui ont valu une dizaine de prix littéraires, dont le Robert-Cliche, l'Adrienne-Choquette, le France-Québec, le premier prix du Concours dramatique de Radio-Canada, en plus d'avoir été remarqué par de nombreux autres jurys dont celui de la Bourse Goncourt de la nouvelle.

JEAN-FRANÇOIS CHASSAY

Né en 1959. Enseigne au Département d'études littéraires de l'Université du Québec à Montréal. A publié, avec Monique LaRue, *Promenades littéraires dans Montréal* (Québec/Amérique, 1989), *Obsèques* (Leméac, 1991), une *Bibliographie descriptive du roman montréalais* (Département d'études françaises de l'Université de Montréal, 1991), ainsi qu'un essai intitulé *Le jeu des coïncidences:* La vie mode d'emploi *de Georges Perec* (HMH/Le Castor astral, 1991), il est également codirecteur de la revue *Spirale*.

Hugues Corriveau

Hugues Corriveau a fait paraître depuis 1978 une quinzaine d'œuvres. Il est actuellement critique de poésie à la revue *Lettres québécoises.* Il se voyait attribuer, en 1991, le prix Adrienne-Choquette pour son premier recueil de nouvelles intitulé *Autour des gares,* paru à L'Instant même. Au printemps 1992, paraissent aux Herbes Rouges, son dernier recueil de poésie intitulé *L'âge du meurtre,* et à XYZ, son troisième roman, *La maison rouge du bord de mer.*

Francine D'Amour

Née à Beauharnois, Francine D'Amour habite Montréal depuis plusieurs années. Elle est l'auteure de deux romans: *Les dimanches sont mortels* (Guérin Littérature, 1987, prix Molson 1988) et *Les jardins de l'enfer* (VLB, 1990), de même que d'un certain nombre de nouvelles et récits qui ont été publiés à l'intérieur de revues ou d'ouvrages collectifs.

Jean-Paul Daoust

Jean-Paul Daoust est né le 30 janvier 1946 à Valleyfield. Il a obtenu une maîtrise en lettres à l'Université de Montréal. Il a collaboré à plusieurs revues et il a fait de nombreuses lectures de ses poèmes, ici comme à l'étranger. Il a publié depuis 1976 une quinzaine d'ouvrages de poésie, un roman. Lauréat du prix du Gouverneur général (1990) pour *Les cendres bleues,* il fait aussi partie du comité de rédaction de la revue de poésie *Estuaire.*

Claire Dé

Montréalaise par son père depuis plusieurs générations; dernières parutions: *Sentimental à l'os*, quatre pièces en un acte (VLB éditeur), et *Chiens divers (et autres faits écrasés)*, nouvelles (XYZ éditeur).

Louise Desjardins

Louise Desjardins est née à Noranda le 2 janvier 1943; elle a fait des études universitaires en psycholinguistique et en littérature canadienne comparée. Écrivaine, professeure et traductrice, elle habite Montréal depuis 1968. Elle a collaboré à plusieurs revues et publié des recueils de poésie. *La 2e Avenue* (1990) est son dernier titre.

Danielle Fournier

Danielle Fournier est née à Montréal en 1955. Elle a publié jusqu'à maintenant quatre livres dont deux chez VLB éditeur; elle a entre autres participé au *Montréal des écrivains* (Typo fiction, l'Hexagone) et a publié dans de nombreuses revues littéraires. Elle enseigne depuis quelques années à l'université. Son dernier recueil de poésie devrait paraître à l'automne au Noroît.

Daniel Gagnon

Daniel Gagnon, né le 7 mai 1946, est l'auteur, entre autres, des romans *La fille à marier* (Leméac, 1985, prix Molson de l'Académie canadienne-française), *La fée calcinée* (VLB, 1987) et plus récemment de *Venite a cantare* (Leméac, 1990). Il a aussi publié deux recueils de nouvelles, *Le péril amoureux* (VLB, 1986) et *Circumnavigatrice*

(XYZ, 1990). Daniel Gagnon est également peintre, il a peint le portrait de plus de soixante-dix écrivains et écrivaines.

LISE GAUVIN

Lise Gauvin, née à Québec, a publié un recueil de nouvelles, *Fugitives* (Boréal, 1991), un essai-fiction, *Lettres d'une autre* (l'Hexagone, 1984), une anthologie, *Écrivains contemporains du Québec* (en collaboration avec G. Miron, chez Seghers) et un essai, *Parti pris littéraire* (1975).

NICOLE HOUDE

Nicole Houde est née en 1945 à Saint-Fulgence. Elle a publié aux Éditions de la Pleine Lune cinq romans dont *La maison du remous* (1983), *L'enfant de la batture* (1988) et *Les inconnus du jardin* (1991). Elle a reçu le Grand Prix littéraire du *Journal de Montréal.*

CLAUDE JASMIN

Né en novembre 1930, à Montréal, Claude Jasmin a signé des romans, des récits et quelques essais. Il a aussi écrit pour le cinéma, la télévision et la radio où il est actuellement animateur-polémiste.

NAÏM KATTAN

Écrivain né à Bagdad, Naïm Kattan est arrivé au Canada en 1954. Romancier *(Adieu Babylone, La fortune du passager, Farida...),* nouvelliste *(La traversée, Le sable de l'île, La reprise...),* essayiste *(Le réel et le théâtral, Le repos et l'oubli, Le père...),* critique *(Écrivains des Amériques),* il fut, de 1967 à 1991, chef de la section des lettres et de l'édition puis directeur associé du Conseil des Arts du Canada. Depuis janvier 1992, Naïm Kattan est écrivain en résidence à l'UQAM.

MICHELINE LA FRANCE

Micheline La France, qui a dirigé cet ouvrage collectif, est née à Montréal le 18 décembre 1944. Elle a publié *Le soleil des hommes* (poésie, 1980), *Bleue* (roman, 1985), *Le fils d'Ariane* (nouvelles, 1987), et *Le talent d'Achille* (roman, 1990). Un nouveau recueil de nouvelles paraîtra sous le titre *Vol de vie* (l'Hexagone, automne 1992).

Elle a également publié des nouvelles dans *Qui a peur de...?* (VLB, 1987), *Montréal des écrivains* (Typo, 1988) et dans plusieurs revues littéraires, dont: *Mœbius, Le sabord, XYZ, Arcade, Possibles,* à Montréal; le *Magazine littéraire, Europe* et *Brèves,* en France.

MONIQUE LARUE

Monique LaRue, née à Montréal, a publié trois romans: *La cohorte fictive* (1979), *Les faux-fuyants* (1982), *Copies conformes* (Denoël/Lacombe, 1989), et une étude en collaboration avec J.-F. Chassay, *Promenades littéraires dans Montréal* (Québec/Amérique, 1989). Elle a également écrit pour la radio et dans diverses revues culturelles.

LOUISE MAHEUX-FORCIER

Née à Montréal, en 1929. Principales publications: cinq romans, dont *Amadou,* prix du Cercle de France en 1963, et *Une forêt pour Zoé,* prix du Gouverneur général en 1970. Suivront cinq téléfilms, dont *Un arbre chargé d'oiseaux* qui a représenté le Canada au concours Louis-Philippe Kammans en 1975, *Arioso,* en 1982, et *Un parc en automne.* Romancière et dramaturge, Louise Maheux-Forcier a aussi publié un recueil de nouvelles: *En toutes lettres,* et un journal intime: *Le sablier.*

Madame Maheux-Forcier est membre de l'Académie canadienne-française, de la Société royale du Canada, et de l'Ordre du Canada.

ANDRÉ MAJOR

Né à Montréal en 1942, André Major a publié une quinzaine d'ouvrages parmi lesquels on retrouve *La chair de poule, La folle d'Elvis, L'hiver au cœur* et *Histoires de déserteurs.* Il passe le plus clair de son temps à réaliser des émissions littéraires pour le service culturel de Radio-Canada.

MADELEINE MONETTE

Madeleine Monette est originaire de Montréal. Ayant écrit à New York son premier roman, *Le double suspect,* qui lui a valu en 1980 le prix Robert-Cliche, elle a élu domicile dans cette ville. En 1982 et 1991, elle a fait paraître deux autres romans, *Petites violences* et *Amandes et melon.* Plusieurs de ses textes ont été lus à la radio, d'autres ont été publiés dans des recueils de nouvelles et des revues au Québec, en France et aux États-Unis.

MADELEINE OUELLETTE-MICHALSKA

Madeleine Ouellette-Michalska a publié deux recueils de nouvelles, plusieurs romans dont *La fête du désir, La maison Trestler* (Québec/Amérique), et des essais remarqués. Livres disponibles dans la collection «Typo» de l'Hexagone: *L'échappée des discours de l'œil* (essai), *La femme de sable* (nouvelles), *Le plat de lentilles* (roman); et dans la collection «Courant» de VLB: *La termitière* (roman). A obtenu le prix Molson de l'Académie canadienne-française et le prix du Gouverneur général.

FRANÇOIS PIAZZA

François Piazza, né à Marseille (France), homme de lettres — ancien postier temporaire, éditeur, critique *et cætera*! — par atavisme — petit-fils de Dominique Piazza, inventeur de la carte postale illustrée. Adore les femmes, la musique, la bière et le Plateau Mont-Royal. A écrit beaucoup (trop?) dont entre autres *Les chants de l'Amérique, Blues note, Cocus & Co* et *Les valseuses du Plateau Mont-Royal.*

HÉLÈNE RIOUX

Née à Montréal en 1949, Hélène Rioux a publié deux recueils de poésie, *Suite pour un visage* (Carré Saint-Louis) et *Finitudes* (Orphée) en 1970 et 1972. Trois récits et un roman, *Une histoire gitane*, parurent ensuite entre 1973 et 1982, puis un premier recueil de nouvelles, *L'homme de Hong Kong*, chez Québec/Amérique, en 1986. La nouvelle donnant son titre au recueil a d'ailleurs remporté un prix au Concours de nouvelles de Radio-Canada. Partageant son temps entre l'écriture, la traduction et la chronique littéraire qu'elle assure au *Journal d'Outremont*, elle a fait paraître en 1990 un deuxième roman, *Les miroirs d'Éléonore*, finaliste au prix du Gouverneur général et au Grand Prix littéraire du *Journal de Montréal*, et un troisième roman, *Chambre avec baignoire*, en 1992.

Danielle Roger

Danielle Roger est née au milieu du siècle, près du port de Montréal. Elle a animé des émissions littéraires à radio CINQ et CIBL. Elle collabore à diverses revues. Elle a publié deux titres aux éditions Les Herbes Rouges: *Est-ce ainsi que les amoureux vivent?* et *Que ferons-nous de nos corps étrangers?*

Lori Saint-Martin

Lori Saint-Martin est professeure au Département d'études littéraires de l'Université du Québec à Montréal. Elle a publié, aux Éditions du GREMF, *Malaise et révolte des femmes dans la littérature québécoise depuis 1945* (prix Elsie-McGill, 1988) et, aux Éditions de l'Hexagone, un recueil de nouvelles, *Lettre imaginaire à la femme de mon amant* (prix Edgar-Lespérance, 1991).

France Théoret

France Théoret est née à Montréal en 1942. Après des études en lettres et plusieurs années dans l'enseignement, elle se consacre entièrement à l'écriture depuis 1987. Elle s'est fait connaître comme poète, romancière et essayiste depuis 1976. Elle publiera *Étrangeté, l'étreinte* en 1992.

Louise Warren

Louise Warren est née à Montréal, en 1956. Depuis 1980, elle publie de la poésie. Ses deux derniers recueils, *Notes et paysages* (1990) et *Terra incognita* (1991) parurent aux Éditions du remue-ménage. En 1989, elle publiait son premier roman, *Tableaux d'Aurélie* (VLB éditeur).

Louise Warren travaille présentement à la biographie de *Léonise Valois, femme de lettres (1868-1936),* à paraître aux Éditions du remue-ménage à l'automne 1992.

Table

Cet ouvrage composé en Times corps 10
a été achevé d'imprimer
en avril mil neuf cent quatre-vingt-dix-huit
sur les presses numériques
de Copiegraphie Pro
à Saint-Hubert
pour le compte des Éditions Typo.

Imprimé au Québec (Canada)